L'Écologie
des paresseuses

Sophie Derek

L'Écologie
des paresseuses

•MARABOUT•

Sommaire

Avant-propos

Pourquoi ce guide va vous aider

Il est loin le temps où le terme d'*écolo* désignait surtout l'habitant chevelu du plateau du Larzac. Oui, celui-là même qui dans les années 1970 élevait des biquettes à la main, tricotait de jolis pulls en laine brute teinte à la pelure d'oignon et mangeait sa soupe de châtaignes dans un bol en bois. Les choses ont bien changé : être soucieux de l'environnement et de l'avenir de la planète n'exige plus d'aller s'enterrer au fond de la campagne. Voilà qui simplifie déjà la tâche. On peut même dire que l'écologie est devenue une réalité très présente, y compris en ville et dans les supermarchés : les éco-labels se multiplient, les conteneurs de produits à recycler sont accessibles à peu près partout, et les voitures elles-mêmes deviennent « vertes ». Bref, il semblerait que l'argument « écologiquement correct » soit unanimement approuvé... au point que les entreprises l'intègrent spontanément dans leur stratégie marketing.

Est-ce à dire pour autant que les comportements aient durablement évolué ? Rien n'est moins sûr. Je m'effare chaque jour du nombre de prospectus que je trouve dans ma boîte aux lettres (l'équivalent de deux ou trois magazines). Ne parlons pas de l'emballage de plus en plus inutile et sophistiqué du moindre produit (chaque biscuit enveloppé dans un sachet individuel, ces derniers dans un sachet plus grand, le tout mis dans une boîte), ni des bouteilles en verre qui remplissent encore les poubelles non recyclables. Autant de réalités montrant que, contrairement aux apparences, longue est encore la route...

Et vous, où en êtes-vous ? En théorie, vous ne seriez pas totalement opposée au fait d'intégrer dans votre vie quotidienne des pratiques respectueuses de l'environnement. L'idée (je dis bien « l'idée ») vous semble même plutôt utile, voire nécessaire, à l'heure des catastrophes écologiques annoncées. Simplement – il faut bien l'avouer –, adapter votre vie de tous les jours aux principes verts vous apparaît aussi comme une source de fatigue clairement identifiable. Pfff ! troquer le volant de votre Smart contre un guidon de vélo... Bouh ! vous abîmer les yeux à déchiffrer la composition des lessives pour traquer celle qui ne contient pas de phosphates... Ahhh ! vous coltiner les bouteilles vides jusqu'au recycleur, alors que votre vide-ordures est là, tout près, à vous tendre les bras... Entre mauvaise conscience et goût du moindre effort, comme souvent, votre cœur balance.

Avec ce guide, vous constaterez qu'en soi ces petits gestes à faire au quotidien pour soulager la planète n'ont rien de vraiment fatigant. Il vous suffit d'essayer : vous verrez, par exemple, que prendre votre vélo pour circuler en ville fait gagner du temps et de l'énergie. Vous économisez tout simplement la fatigue nerveuse des inévitables vingt-cinq minutes à tourner pour trouver une place de parking gratuite. De même, le recyclage des déchets n'exige pas fondamentalement de dépense énergétique accrue de votre part. Tout n'est en fait qu'une question de nouvelles habitudes à prendre : en réorganisant votre façon d'agir, d'acheter, de consommer et de jeter, vous agirez pour l'environnement sans fournir d'efforts supplémentaires. Ces nouvelles habitudes (dont très vite vous ne pourrez pas vous passer) se fondent sur quelques principes simples qu'il vous faudra prendre en compte. La dépense énergétique, la question du devenir des produits consommés, leur effet sur la nature sont autant de facteurs qui orienteront votre nouvelle façon d'agir au quotidien. En suivant les conseils présentés ici, vous œuvrerez à votre échelle à améliorer l'avenir écologique des générations futures, pas très rose pour l'instant... Ça vaut la peine de se fatiguer un (tout petit) peu, non ?

chapitre 1

Comment vivre écolo sans se couper du monde

Pourquoi changer votre mode de vie et donc votre façon de consommer ?

Car, oui, pour nous autres Occidentaux, l'un (le mode de vie) est pratiquement devenu synonyme de l'autre (la façon de consommer). Et inversement. On peut le déplorer. Il n'en reste pas moins que, concrètement, le monde dans lequel nous vivons se situe sous le signe de la consommation. Prétendre se situer en dehors de ce système-là revient à peu de chose près à se couper de la société. Et la société, même mal faite, il faut bien avouer qu'on y tient quand même : après tout, on y a ses petites habitudes, ses amis, sa famille, accessoirement son boulot...

Certains rêvent d'une vie de non-consommation pure et dure, sans aucune compromission avec le vilain système. Plus de frigo, plus de machine à laver... à vous les graines germées cultivées maison et les toilettes sèches à vider chaque semaine au fond du jardin. Mettre en œuvre cette utopie implique de renoncer à nombre de choses – ce qui n'est pas nécessairement le but recherché : plutôt que de vivre en Zorro sectaire de l'écologie, il est sans doute plus réaliste de penser à un mode de consommation différent. Refuser d'acheter tel produit nocif pour l'environnement, privilégier telle marque issue du commerce équitable, limiter sa consommation d'énergie sont autant de façons différentes d'être écolo... tout en continuant à vivre au milieu de ses semblables.

Il y a plusieurs raisons d'adopter l'écolo-attitude. Le souci légitime de l'avenir de la planète en est une : les pollutions diverses dues à l'industrialisation, l'exploitation abusive, voire la destruction des ressources naturelles ont des conséquences dramatiques. L'avenir de nos enfants exige que l'on s'intéresse un tant soit peu à une façon d'inverser la tendance. Mais vous êtes déjà au courant, et je m'en voudrais de verser dans le catastrophisme.

D'autres s'intéressent à l'écologie dans le but de préserver leur santé, la pollution ayant également des effets dans ce domaine. La hausse du nombre des cancers, les problèmes de fertilité, de plus en plus nombreux, témoignent statistiquement du fait que, là aussi, il faut agir. Une telle vision des choses a tout de même ses limites : manger 100 % bio tout en restant exposée aux pollutions diverses de l'eau et de l'air ne protège pas vraiment votre capital « santé »...

Pour moi, le choix de l'écologie est surtout une manière de vivre plus simple, plus agréable et plus cohérente. Faire attention à sa façon de manger, d'acheter, de consommer permet de mieux vivre, et indirectement d'agir ainsi sur l'environnement. Manger bio, par exemple, ce n'est pas seulement pour éviter le cancer ou pour manger des légumes qui ont du goût. C'est aussi choisir une autre façon de cultiver la terre, loin de l'agriculture intensive. En d'autres termes, vivre dans le souci de l'écologie ne consiste pas nécessairement à jouer les prophètes d'apocalypse et à culpabiliser dès qu'on arrête de manger des graines germées ! Il s'agit simplement, à votre échelle, d'adopter des gestes, des réflexes qui préservent l'environnement. Tout en vous faisant plaisir.

Les conséquences des gestes de la vie quotidienne sur l'environnement

Vous vous demandez sûrement ce que vaut votre petit geste à vous toute seule (« Oui, je ferme bien le robinet pendant que je me brosse les dents ») par rapport aux quantités d'eau gaspillées par les entreprises, par exemple. La question mérite d'être posée, mais pas trop longtemps quand même. Les entreprises s'alignent sur les demandes des consommateurs et, dans une certaine mesure, on peut dire que les institutions aussi. Modifier votre façon de consommer individuellement va donc permettre à moyen terme d'amorcer une tendance collective. Un exemple : le vélo à Paris. Quand j'ai commencé à circuler à vélo, à la fin des années 1980, je passais au mieux pour une douce illuminée, au pire pour une kamikaze de la survie en milieu urbain. Absolument rien n'était prévu pour les cyclistes, en dehors de « pistes cyclables » indiquées par un joli pointillé vert dessiné sur le sol. Pointillé sur lequel les automobilistes se faisaient bien sûr une joie de rouler... Quinze ans après, les Parisiens disposent enfin d'un réseau de pistes cyclables dignes de ce nom et je ne connais plus grand monde vivant intra-muros qui utilise sa voiture pour sortir le soir ou aller travailler. Dans un autre domaine, les produits du commerce équitable, très confidentiels il y a encore quelques années, sont présents désormais dans la grande distribution.

Vivre écolo au quotidien, c'est donc adopter de nouveaux comportements, en pensant qu'ils auront une répercussion à une autre échelle. Car, si nous continuons à agir comme nous le faisons maintenant, les réserves de la Terre n'y suffiront pas : si chaque habitant du monde consommait comme le font actuellement les Français, il faudrait au moins trois planètes pour satisfaire nos besoins...

Où et comment agir ?

Pour les plus paresseuses : des choix simples au quotidien

Dois-je le préciser, j'en fais partie. *A priori*, vous aussi. L'action de la paresseuse sensible aux questions d'environnement constitue en quelque sorte le b.a-ba de l'écologie au quotidien. Manger bio le plus souvent possible, acheter des produits du commerce équitable, trier ses déchets, limiter au strict nécessaire ses déplacements en voiture et en avion, restreindre sa consommation d'eau et d'énergie, voire sa consommation tout court... rien d'infaisable : au contraire. Une fois que le pli est pris, il est même difficile de revenir en arrière ! Avantage collatéral de ce choix de vie : vous ferez des économies, puisque le but premier consiste à réduire votre consommation, dans tous les domaines. Au passage, vous pouvez informer vos amis sur vos raisons de vivre comme ça. Leur dire pourquoi l'aluminium est à proscrire (il consomme beaucoup trop d'énergie lors de sa production), pourquoi ils devraient changer de déodorant (le leur contient des parabens), etc. Attention : il ne s'agit pas de les endoctriner ou de les convertir à une cause ! Simplement d'attirer leur attention sur des détails concrets et de proposer des solutions simples de remplacement lorsqu'il est question de ne plus utiliser tel ou tel produit.

Pour les plus motivées : des actions chocs

Là, on entre quasiment dans l'activité militante : il ne s'agit pas seulement en l'occurrence de consommer autrement. La fille écolo motivée organisera, par exemple, des actions visant à alerter ses semblables sur l'urgence de vivre différemment. Avec ses amis, eux aussi éco-militants, elle déballera dans le supermarché tout ce qu'elle achète, histoire de faire comprendre aux entreprises que, non, décidément, le consommateur n'aime pas du tout les emballages (qui représentent tout de même jusqu'à 20 % du prix du produit...), contrairement à ce que pensent les directeurs de marketing.

Dans le même esprit, elle pourra s'occuper d'une association de protection de la nature ; elle cultivera elle-même son potager bio, se chauffera à l'aide de panneaux solaires et sera végétarienne. Bref, on est ici dans une autre dimension, qui exige une grande motivation, pour ne pas dire une forme d'engagement.

À vous de voir où vous vous situez : votre motivation, votre personnalité sont autant d'éléments qui entrent en ligne de compte.

Une organisation à mettre en place une fois pour toutes

Pour commencer votre écolo-conversion, vous allez devoir réorganiser en partie votre vie quotidienne. Voici donc quelques petits réaménagements faciles à mettre en place et qui vous simplifieront la vie !

À la maison

Triez !

Les plus organisées, ou celles qui ont le plus de place, peuvent prévoir des poubelles différentes pour le tri des déchets : une poubelle « normale », une autre pour les matériaux recyclables (verre, papier et bouteilles en plastique), éventuellement un petit bac pour les piles et les cartouches d'imprimante. Personnellement, mon Caddie me sert de réceptacle pour tout ce qui peut être recyclé. En allant faire mes courses au marché, hop ! il me suffit de le vider en passant devant les containers prévus à cet effet.

Pour les déchets organiques et biodégradables, celles qui disposent d'un jardin se lanceront dans le compostage en extérieur. Quant aux autres, elles investiront dans une lombricompostière. Cet objet au nom étrange n'est rien d'autre qu'un bac à compost pouvant être utilisé sur un balcon ou en appartement, qui vous permettra de recycler tous vos déchets organiques. Ceci intéressera surtout celles qui ont des plantes pour profiter du précieux terreau...

Les bons produits

Finissez votre baril de lessive et vos flacons d'eau de Javel, pas du tout éco-*friendly* et potentiellement toxiques pour la santé, avant de vous lancer dans l'achat et la fabrication de vos propres produits d'entretien écolo (voir chapitre 6). Vous achèterez des chiffons en microfibres, un paquet de cristaux de soude, un autre de bicarbonate de soude et une bouteille de vinaigre d'alcool. Mais pas avant d'avoir tout fini vos détergents classiques : pas question de les vider dans les toilettes sous prétexte de commencer plus vite votre nouvelle vie d'éco-ménagère !

Idem pour le contenu de votre salle de bains et de votre trousse de toilette. Exit les produits issus de la pétrochimie, que vous remplacerez par diverses argiles, des plantes, des huiles essentielles, et deux savons hypersimples : le savon d'Alep et le vrai savon de Marseille, qui porte la mention « 72 % d'huile d'olive » dessus.

En cuisine

Prenez l'habitude de consommer les fruits et légumes de saison, produits localement. Cela évite les transports, les cultures forcées, et surtout cela vous coûtera bien moins cher.

Mangez plus de légumes et moins de viande (qui consomme beaucoup d'énergie pour être produite) et de poisson (les océans se dépeuplent dramatiquement). De toute façon, nous mangeons beaucoup trop de protéines animales par rapport à nos besoins réels : 150 g par jour suffisent.

Mettez-vous au vert !

Si vous avez un bout de balcon ou, mieux encore, un jardin, profitez-en et plantez herbes aromatiques, herbes médicinales et légumes. Cultivez votre jardin, pour le plaisir. Et sans produits chimiques, bien sûr.

Pour faire vos courses

Achetez un Caddie et un cabas. C'est là votre premier investissement. Armée de ces deux viatiques indispensables, vous pourrez alors dire « Zut ! » au sac plastique.

Limitez au maximum les achats au supermarché. Le système de la grande distribution n'a presque que des défauts : il pollue, pousse à consommer, favorise l'expansion illimitée de l'agroalimentaire industriel, etc. Sans aller jusqu'au boycott total, il vaut mieux éviter d'y aller trop souvent.

Avec des amis, adhérez à une ferme. Celle-ci s'engage à vous livrer un panier bio par semaine contre l'assurance que vous lui achetiez d'avance la récolte à venir. Le réseau Cocagne ou celui des AMAP permettent ce genre de démarche (voir chapitre 7).

Achetez équitable pour le café, le sucre, le chocolat. Si vous avez le choix, préférez les magasins du style « Artisans du monde », consacrés au commerce équitable, plutôt que le rayon du même nom de votre supermarché.

Privilégiez les achats de seconde main. Pour vos meubles, vos objets, voire vos vêtements : les foires à tout, les vide-greniers, Emmaüs... Ce système présente l'avantage de pouvoir acheter un objet sans qu'il y ait besoin de le produire. C'est une sorte de recyclage ! Les ventes aux enchères d'objets d'occasion sur Internet, comme *ebay.fr*, offrent en plus l'avantage de pouvoir acheter sans vous déplacer. Grâce à ce système, je me suis très bien meublée pour quatre fois moins cher. Sans parler des vêtements, des jeux pour les enfants, etc.

En ville

Investissez dans un vélo d'occasion pour vos petits déplacements. Et adoptez bus, métro, tram en cas de pluie... Pour les Parisiennes et celles qui vivent dans de grandes villes, réfléchissez bien : est-il vraiment indispensable d'avoir une voiture ? est-ce que le train ou un système comme celui de l'auto-partage (voir chapitre 4) ne pourraient pas remplacer avantageusement votre automobile ?

Prenez de nouvelles habitudes

Être écolo au quotidien exige d'adopter de nouveaux comportements... et de les garder. Il ne s'agit pas, en effet, de circuler à vélo une fois de temps en temps, quand il fait beau. Pour avoir un effet notable, vos nouvelles habitudes doivent devenir une norme... qui, en tant que telle, tolère malgré tout quelques exceptions ponctuelles !

Au bureau

Le bureau est un lieu particulièrement dédié au gaspillage : une quantité astronomique de papier inutilement utilisé et jeté à la corbeille, des bureaux déserts qui restent systématiquement allumés pendant la nuit, des ordinateurs et des imprimantes laissés en mode « veille »... Sans parler des gobelets en plastique qui s'accumulent autour de la machine à café. La liste est longue et, malheureusement, non exhaustive.

Faites évoluer les mentalités

Pour limiter le gaspillage, il suffit de mettre en place quelques nouvelles habitudes : lorsque vous partez, ne laissez pas votre ordinateur en mode « veille » et éteignez les lumières.

Les bureaux sont aussi de gros producteurs de déchets. S'il existe déjà un système de tri sélectif des déchets là où vous travaillez, il faut bien évidemment l'utiliser : le papier (qui représente 80 % des déchets produits dans un bureau...) bien sûr, mais aussi les cartouches d'encre d'imprimante peuvent (et doivent !) être recyclés. Si rien n'existe en matière de tri, vous pouvez faire la preuve de votre motivation, en mettant en place une organisation vouée au recyclage. Renseignez-vous auprès de la mairie ou des entreprises de recyclage.

Et n'oubliez pas de rendre hommage à Internet qui vous permet d'envoyer des mails plutôt que des lettres.

Proposez à vos collègues de vous regrouper pour les trajets

Pourquoi utiliser quatre voitures pour aller travailler, alors qu'il est possible de n'en utiliser qu'une seule ? Renseignez-vous pour savoir où habitent ceux et celles qui ont les mêmes horaires que vous et définissez un point de rencontre où vous laisserez vos voitures respectives. Vous tiendrez le rôle du conducteur à tour de rôle chaque semaine. Votre budget « essence » ne s'en trouvera que mieux et vous aurez l'âme sereine de celle qui sait qu'elle agit concrètement pour moins polluer. Tout bénef !

À la maison

Vos nouvelles éco-habitudes vont essentiellement concerner trois postes :

1. votre consommation d'énergie (électricité, chauffage, voiture) ;

2. votre consommation d'eau ;

3. la gestion de vos déchets.

Le principe reste identique dans tous les cas. Vous devez toujours aller vers le moins : consommer moins d'eau et d'énergie, générer moins de déchets, acheter moins. La règle de base « Moins, toujours moins » deviendra donc votre devise.

Pour moins consommer, consommez « local »

Réfléchissons un peu : combien coûte finalement un fruit exotique venu de l'autre bout du monde ? Lorsque je dis « coûter », il s'agit de pollution, de gaspillage énergétique et d'effet sur le climat. Les produits exotiques font certes partie de notre consommation courante. Pourtant, leur transport, voire parfois leur culture, soulève quelques questions légitimes : est-il vraiment pertinent de faire venir des produits de si loin, alors que cela entraîne une pollution aérienne accrue ? Manger des légumes et des fruits locaux, à la saison où ils sont consommables, est en revanche une démarche bien plus économique, à tout point de vue. D'une part parce que cela vous revient beaucoup moins cher, d'autre part parce que les effets sur l'environnement ne seront pas les mêmes (je parle ici de l'agriculture bio, l'élevage et la culture intensives ayant depuis longtemps fait la preuve de leur nocivité environnementale).

En clair, manger des tomates, des courgettes, des pêches et des melons de juillet à septembre, des cerises au mois de juin, des carottes, des poireaux et des patates l'hiver est une façon de mieux (et de moins) consommer.

Des critères pour acheter « écolo »

Pour changer votre façon d'agir au quotidien, il faut aussi modifier (dans une certaine mesure !) votre façon de voir les choses. Ainsi, au lieu de vous exclamer devant l'étal de votre primeur : « Chouette, des framboises en promo à Noël ! », vous pouvez vous demander comment ce fruit d'été se retrouve là en plein décembre. Vous connaissez déjà la réponse : grâce aux cultures en serres, bien sûr. Or, les serres doivent être chauffées. Ce qui entraîne une consommation d'énergie, pas franchement indispensable en l'occurrence. Sans devenir obsessionnelle, vous pouvez donc, avant d'agir, prendre en compte certains critères pour évaluer le prix « écologique » de votre geste. Ceux-ci peuvent être pensés en amont : combien d'énergie a été nécessaire pour produire et transporter le produit que vous voulez acheter ?

Ils peuvent aussi être envisagés en aval : quelles vont être les conséquences de votre achat, à moyen terme ? combien de déchets inutiles allez-vous générer (par exemple, en achetant quatre paquets de 250 g au lieu d'un seul gros paquet de 1 kg) ? si vous utilisez tel produit d'entretien, quels effets cela aura-t-il sur l'environnement ? Voilà le genre de questions qui peuvent guider vos achats.

Réduisez votre consommation d'énergie

Le problème que pose la consommation énergétique se situe à plusieurs niveaux :

Le pétrole et le gaz sont d'abord des ressources épuisables et non renouvelables. Par ailleurs, leur utilisation (pour les transports notamment) favorise l'effet de serre et la diminution de la couche d'ozone. L'énergie du nucléaire, qui représente 78 % de l'électricité française, est, quant à elle, non épuisable et non polluante, du moins pour ce qui est de l'effet de serre. Personne ne sait, en revanche, ce que deviendront les déchets radioactifs produits par le nucléaire, enfouis en mer dans des containers qui risquent de ne pas demeurer éternellement étanches...

Quoi qu'il en soit, mieux vaut limiter votre consommation d'énergie. Vous préserverez ainsi davantage les ressources naturelles et limiterez vos rejets de gaz à effet de serre.

VIVRE EN VILLE, C'EST PLUS ÉCOLO !

Paradoxalement, vivre en ville et en appartement est plus écologique que de vivre dans une maison à la campagne ! À superficie égale, les appartements consomment en effet près de moitié moins d'énergie pour être chauffés que les maisons. Par ailleurs, habiter en milieu urbain permet de limiter, voire de supprimer les déplacements individuels en voiture : la proximité des services et des moyens de transport (bus, métro, train) fait que l'on peut vivre tout à fait normalement sans avoir de voiture – ce qui limite la production de CO_2.

Moralité : ne choisissez pas, sous prétexte de retour à la nature, de vivre dans un endroit isolé, non desservi par les transports en commun – devoir faire des kilomètres en voiture à chaque fois que vous avez oublié d'acheter le pain n'est pas vraiment une option « verte » !

Si vous habitez une maison, pensez aux énergies renouvelables

Installez un chauffe-eau solaire et un panneau photovoltaïque qui permet de produire de l'électricité à partir de la lumière solaire. Même dans le Nord de la France, ces installations vous feront faire des économies. La géothermie, mode de chauffage qui consiste à « récupérer » la chaleur naturelle de la Terre, peut aussi être envisagée.

Réfléchissez aux matériaux que vous utilisez

Fabriquer du plastique, du verre, du carton, de l'acier ou de l'aluminium consomme de l'énergie. En France, 4/5 de l'énergie consommée par l'industrie part dans l'élaboration de ces matériaux de base. La production de l'aluminium consomme, par exemple, énormément d'électricité ; quant à celle du plastique, elle fait tourner à plein régime l'industrie pétrochimique...

Éclairez-vous avec des ampoules « basse consommation »

La dernière génération évite l'effet « Je m'éclaire au néon, parce que j'aime bien l'ambiance qu'il y a dans les hôpitaux et à la cantine », que pouvaient encore avoir ce genre d'ampoules il y a quelques années.

Mangez le moins de viande possible et le moins de bœuf possible

L'agriculture produit davantage de gaz à effet de serre que l'industrie, principalement à cause de l'élevage. 1 kg de bœuf produit cinquante fois plus d'émissions de gaz à effet de serre que 1 kg de blé ! Sans devenir végétarienne (il y a des limites à tout !), vous pouvez limiter votre consommation de viande et de bœuf.

Évitez de prendre l'avion

Un avion consomme, par passager, l'équivalent d'une petite voiture sur la même distance. Un aller-retour Paris New York représente donc l'équivalent de 450 à 500 automobiles qui parcourent 12 000 km...

La pollution aérienne

Pour résumer, la pollution de l'air entraîne trois types de phénomènes préjudiciables à la planète : l'effet de serre, les pluies acides et le fameux « trou de la couche d'ozone » qui ne cesse de s'agrandir.

L'effet de serre

Au départ, l'effet de serre est un phénomène naturel, qui permet à la Terre d'avoir la température moyenne nécessaire au maintien de la vie animale. Sans lui, la planète serait bien trop froide pour que nous puissions y vivre. L'effet de serre permet de conserver à la surface de la Terre la chaleur et l'énergie dues aux rayons du Soleil. Ce phénomène est dû aux fameux « gaz à effet de serre », comme le méthane ou le dioxyde de carbone, normalement présents dans la nature. Le problème, c'est que l'industrialisation a entraîné une augmentation excessive des gaz à effet de serre. De ce fait, la Terre se réchauffe de façon alarmante, le niveau de la mer monte au point que la disparition de certaines régions du monde est désormais prévisible.

POUR VOUS DONNER UNE IDÉE...

L'augmentation de l'effet de serre depuis 1980 équivaut à la mise en route de 400 milliards de radiateurs supplémentaires, qui fonctionneraient de manière ininterrompue. En d'autres termes, c'est comme si, chaque seconde, nous mettions en marche 500 nouveaux radiateurs...

Quels sont les gaz à effet de serre ?

1. Le dioxyde de carbone (le fameux CO_2) est responsable de 65 % de l'effet de serre « humain » : il provient de la combustion du pétrole, du charbon, du gaz... Quand vous roulez en voiture, quand vous vous chauffez au mazout, quand vous prenez l'avion, vous libérez nécessairement des gaz à effet de serre.

Sa durée de vie dans l'atmosphère : 100 ans.

2. Le méthane représente 20 % des gaz à effet de serre humains et provient en partie des ruminants que nous élevons. Ce serait presque drôle si les enjeux n'étaient pas si importants : apparemment les flatulences bovines et ovines ne seraient pas si anecdotiques qu'il y paraît... Plus classique et plus attendu : les décharges d'ordures ménagères, les exploitations pétrolières et gazières sont elles aussi une source de méthane.

Sa durée de vie dans l'atmosphère : 12 ans.

3. Le protoxyde d'azote N$_2$O est dû aux engrais et à l'industrie chimique...

4. Les gaz fluorés HFC (les halocarbures) se trouvent dans les bombes aérosol, les climatiseurs, les gaz réfrigérants, ou les composants d'ordinateurs... Ils sont aussi responsables de l'amincissement de la couche d'ozone.

5. Les hydrocarbures PFC sont dus, notamment, à la fabrication de l'aluminium... Le procédé utilisé pour produire l'aluminium émet à la fois du dioxyde de carbone et des PFC. À noter, retenir et faire savoir : l'effet des PFC sur le réchauffement de la planète est de 6 500 à 9 200 fois plus élevé que celui du dioxyde de carbone ! Conclusion : bannissez totalement l'aluminium de votre vie !

Leur durée de vie dans l'atmosphère : 50 000 ans...

Les pluies acides

Les pluies acides sont des pluies polluées par des gaz provenant essentiellement de l'agriculture, des transports et de l'industrie. Dans l'atmosphère, ces gaz (dioxyde de soufre, dioxyde de carbone, oxydes d'azote) libèrent des acides qui, lessivés par la pluie, retombent sur Terre sous forme humide. Ces pluies acides « brûlent » les forêts en général et les résineux en particulier.

La diminution de la couche d'ozone

La Terre est entourée d'une sorte de parasol géant, d'environ 20 km d'épaisseur, et constitué d'une couche de gaz, l'ozone. Cette couche d'ozone représente un filtre naturel qui retient la plus grande partie des rayons nocifs du Soleil. De ce fait, elle nous protège en partie des coups de soleil, des cancers de la peau, etc. Il s'agit là de l'ozone stratosphérique, qui se trouve autour de la Terre. Il existe aussi l'ozone « de surface », dû aux émissions de polluants provenant des véhicules. Cet ozone-là, corrosif, est nocif pour la santé humaine et l'environnement. Malheureusement, il se trouve qu'à cause de la pollution il augmente notablement, alors que le « bon » ozone stratosphérique diminue. Dès 1985, des scientifiques britanniques ont en effet constaté que, sur 25 millions de km^2 au-dessus de l'Antarctique, la couche d'ozone s'amincissait dramatiquement.

Que faire pour diminuer la pollution aérienne ?

Évitez de prendre l'avion, d'aligner les kilomètres inutiles en voiture. Et quand vous vous déplacez avec votre automobile préférée, n'appuyez pas sur l'accélérateur. N'oubliez pas que le poste numéro un de la pollution aérienne reste celui des transports.

Évitez la climatisation en voiture. Au rythme où vont les choses, il est probable que 9 véhicules sur 10 circulant en France en 2020 seront climatisés... Or, une voiture climatisée, c'est plus de carburant consommé, plus de pollution atmosphérique et plus d'émissions de gaz à effet de serre : ceux produits par la consommation de carburant, mais aussi les fluides frigorigènes qui s'échappent du circuit de climatisation. La climatisation peut augmenter à elle seule de 10 à 15 % les rejets annuels de gaz à effet de serre d'un véhicule basique... Par ailleurs, le fluide contenu dans le circuit de climatisation est un gaz à effet de serre très puissant qui devrait être impérativement récupéré par un professionnel. Il n'est pas certain que ce soit toujours le cas.

Dites stop aux bombes aérosol, au polystyrène et aux matelas en mousse : ils font appel aux halocarbures, gaz qui participent à l'amincissement de la couche d'ozone.

Votre frigo contient aussi des halocarbures. Lorsque vous en changez, faites reprendre votre ancien modèle. Sinon, emmenez-le dans une déchetterie.

Et pour finir, je l'ai dit (mais je le répète) : plus d'aluminium !

À BICYCLEEEEETTE !

Vos nouvelles habitudes vont aussi concerner votre façon de vous déplacer. À Paris, il semble que les choses aient bien progressé : les travaux pour le tramway ont eu le paradoxal avantage de transformer la capitale en chantier et de rendre la circulation impossible. L'essor du vélo peut sans doute en partie s'expliquer pour cette raison. En province, les choses sont plus complexes, la voiture restant le véhicule le plus « praticable », même en centre-ville. Circuler à vélo pour vous déplacer en ville est une option qu'il va vous falloir développer. Vous verrez d'ailleurs que vous y gagnerez, en temps, en argent et en tranquillité d'esprit. Sans parler de vos jambes, à qui l'exercice ne pourra que profiter. Il s'agit d'organiser votre quotidien en fonction de ce nouveau moyen de transport : utilisez le local à vélos de votre immeuble, prévoyez un budget « réparations », investissez dans un bon antivol (seul un U de bonne qualité offre une relative protection contre le vol), apprenez à réparer les crevaisons. Si vos amis ne sont pas encore des adeptes, convainquez-les. Et redécouvrez cette réalité : pour les sorties le soir, le vélo est i-dé-al ! Pas de course effrénée après le dernier métro, pas d'attente désespérée d'un taxi libre : vous rentrez chez vous quand vous voulez, à votre rythme et sans polluer.

L'eau : une ressource précieuse

Contrairement à ce que l'on pourrait croire, ce ne sont pas les industriels qui sont les plus gros consommateurs d'eau, mais bien les agriculteurs. Ensuite seulement arrivent sur la liste le secteur industriel et la consommation ménagère. Est-ce là une raison de se dire : « Ma foi, n'étant pas moi-même cultivatrice de porcs à Plougasnec-Laoulas, je n'ai *a priori* aucune raison de faire d'efforts particuliers » ? Non, bien sûr. Car, en moyenne, un Français consomme tout de même ses 137 litres d'eau par jour, avec une petite pointe à 230 pendant les vacances.

En quoi est-ce un problème, me direz-vous ? C'est que l'eau potable et accessible (non gelée) est une ressource très limitée sur Terre, qui ne représente que 0,3 % des eaux terrestres. Or, notre consommation, elle, augmente (je parle ici des pays industrialisés), pendant que la quantité d'eau disponible est en baisse, notamment à cause de la pollution.

Bactéries, virus, parasites, acides, sels et métaux toxiques, nitrates, phosphates, pétrole, pesticides, sacs plastiques... Arrêtons là la liste avant de faire une dépression : l'eau est polluée de multiples façons. Plus grave encore : cette pollution est souvent invisible. L'eau du robinet contient (en quantités infimes certes, mais tout de même) des résidus de détergents, d'insecticides, de métaux lourds, qui, par accumulation progressive dans l'organisme, provoquent certaines maladies. Et je ne parle pas des nitrates que l'on retrouve aussi dans l'eau du robinet, contre lesquels il n'existe pour l'instant pas de filtres.

LA MARÉE VERTE

Peut-être avez-vous eu l'occasion de contempler ce phénomène, le long des côtes bretonnes notamment : les vagues présentent une couleur verte, qui s'explique tout simplement par la prolifération excessive d'algues, dopées par les nitrates (merci les cultivateurs de cochons !) et les phosphates (merci les marchands de lessive !). Envahie d'algues, l'eau absorbe moins de lumière et génère moins d'oxygène – ce qui rend la vie dans l'eau impossible pour les poissons et les autres organismes.

Que faire pour préserver l'eau ?

Du très classique...

1. Prendre des douches plutôt que des bains.

2. Réparer les robinets qui fuient.

3. Ne pas arroser votre jardin « en grand ».

4. Ne pas laver votre voiture chez vous, mais dans une station de lavage qui récupère l'eau utilisée.

5. Plonger une bouteille pleine dans le bac de votre chasse d'eau pour réduire la quantité d'eau nécessaire à l'évacuation.

6. Installer une chasse d'eau à double débit (3/6 litres).

7. Acheter un économiseur d'eau, appelé aussi « mousseur », à mettre sur vos robinets : ça ne coûte que quelques euros et vous permet de réduire de plus de la moitié votre consommation, à usage égal.

8. Ne jetez ni vos huiles de vidange, ni vos huiles ménagères, ni aucun produit polluant (peinture, white-spirit) dans votre évier, dans vos toilettes ou une rivière ! Amenez-les à la déchetterie.

9. Choisissez un détergent écologique sans phosphates, voire faites-le vous-même en suivant mes conseils (voir chapitre 6).

10. Remplacez votre lessive par des noix de lavage ou du vrai savon de Marseille en paillettes.

11. Arrêtez d'acheter de l'eau en bouteilles qui pollue de diverses façons : non seulement il faut la transporter de l'autre bout de la France, mais en plus il faut ensuite se débarrasser des bouteilles. Pour savoir ce qu'il en est exactement de l'eau du robinet, demandez auprès de votre mairie les analyses obligatoires régulièrement effectuées par des laboratoires. Elle est dans l'obligation de vous les montrer. Si les normes autorisées sont dépassées, vous aurez un document qui le prouve et vous pouvez agir.

... au plus original

1. Si vous êtes vraiment très motivée et que vous vivez en maison, vous pouvez même envisager l'installation de toilettes sèches (voir chapitre 6). Le principe est particulier : il faut vous soulager dans un bac empli de sciure de bois, que vous irez vider une fois par semaine sur votre tas de compost. Une option réservée aux seules puristes de l'économie d'eau, donc.

2. Un autre procédé, psychologiquement plus accessible, consiste à installer un système de récupération des eaux de pluie. Le plus souvent, celles-ci s'utilisent pour les tâches ménagères, la salle de bains et les toilettes. Il est également possible d'installer des filtres pour pouvoir en boire.

L'EAU CHEZ VOUS

En moyenne, un Français consomme 137 litres d'eau par jour. Sur cette quantité, seul 1,5 litre sera bu. 9 litres serviront à préparer la nourriture. Tout le reste part dans les activités ménagères, la salle de bains et les W.-C. ! Un détail qui séduira les âmes sensibles à la poésie : 1/5 de notre consommation quotidienne part... dans les toilettes. Car, oui, vous l'ignoriez sans doute, mais « faire popo » revient à utiliser chaque jour une trentaine de litres d'eau.

Boycottez les greens et faites une croix sur la piscine individuelle

On compte en France 1 million de piscines privées, dont la contenance varie de 50 à 80 m³. Alors qu'il existe de très sympathiques piscines collectives et des rivières encore « baignables », est-il vraiment utile de vous infliger les frais d'entretien d'une piscine dans laquelle vous vous contentez de barboter ?

Mauvaise pioche aussi pour les amateurs de golf, gros consommateurs d'eau : en moyenne, il faut 50 m³ par nuit pour arroser un green de 1 ha. Vous tirerez vous-même les conclusions qui s'imposent...

L'encombrante question des déchets

Les déchets ménagers représentent en France un volume de 31,4 millions de tonnes par an. Qu'est-ce à dire concrètement ? Que, comme chacun de vos compatriotes, vous produisez pratiquement 1 kg de déchets par jour. 20 % seulement de ceux-ci seront recyclés, les 80 % restant étant soit enfouis en décharge, soit incinérés dans des usines. Notre production de déchets ménagers augmente d'environ 1 % par an. De quoi craindre de finir enseveli sous les ordures...

Pourquoi faut-il impérativement inverser la tendance ? « C'est vrai, après tout, se demande la paresseuse, s'il suffit d'incinérer et de recycler, où est le problème ? » C'est que le traitement des déchets a un coût, à la fois financier et écologique. Franchement, vous auriez envie d'habiter près d'une usine de retraitement ? Car l'incinération n'est pas anodine en terme de nuisance environnementale : la fameuse dioxine (il faut en réalité plutôt parler « des » dioxines), particule toxique, provient en majeure partie des incinérateurs de déchets. Juste avant de se répandre dans l'environnement...

« VOUS REPRENDREZ BIEN UN PEU DE DIOXINE ? »

Les dioxines sont produites principalement par les incinérateurs de déchets. Parmi les 210 composés organiques chlorés que sont les dioxines, 17 sont toxiques et 1 a un effet cancérigène prouvé chez l'homme : la dioxine dite « de Seveso ». Les dioxines entrent dans la chaîne alimentaire quand les animaux – mammifères ou poissons – mangent des végétaux contaminés par l'atmosphère. Ensuite, les dioxines s'accumulent dans leur graisse. Elles sont donc surtout présentes dans la viande (bœuf, poulet, porc), le lait, le poisson, les œufs, et dans une moindre mesure dans l'air que nous respirons. Chez l'homme, les dioxines ingérées s'accumulent dans l'organisme tout au long de la vie. Ce qui signifie qu'elles ne disparaissent pas... Les dioxines présentes chez la mère sont en partie transmises à l'enfant par le lait maternel.

Quant au recyclage, il consomme beaucoup d'énergie. Alors qu'il s'agit précisément de diminuer la consommation énergétique.

Comme le recyclage et l'incinération demeurent des compromis peu satisfaisants écologiquement, une seule solution s'impose : réduire à la source la taille de votre poubelle. Ce qui exige de modifier quelques habitudes bien ancrées...

Que faire pour inverser la tendance ?

Haro sur le jetable !

Rasoirs, serviettes en papier, gobelets en plastique, papier absorbant, mouchoirs en papier, briquets, lingettes, bref : tout ce que les industriels, pas bêtes, ont inventé pour nous pousser à consommer davantage sans même que nous nous en rendions compte. Car, oui, tiens ! c'est vrai, on l'avait presque oublié, mais il existe de vrais verres, de vraies serviettes en tissu, des mouchoirs de grands-pères qui valent largement les Kleenex, et de bons vieux rasoirs qui durent longtemps. Bref, remplacez toujours le jetable par du durable.

Bannissez le sac plastique

Faites vos courses avec un panier, un Caddie, un sac à dos, un filet à provisions, ou tout autre contenant à durée de vie prolongée. Je suis personnellement une pratiquante convaincue du Caddie. Oui, ce bel objet à roulettes, souvent dans les tons écossais, celui-là même qui me faisait honte lorsque j'accompagnais mamie faire son marché. Faites fi des apparences : le Caddie va devenir votre meilleur ami, et votre dos vous en remerciera. Si vous craignez pour votre réputation, choisissez un modèle en osier, peut-être plus facile à assumer socialement.

Non aux emballages individuels

Préférez les achats en vrac. Munissez-vous de récipients avec couvercle ou de boîtes pour acheter vos légumes et fruits secs en vrac. Sur les marchés, il est possible d'acheter des œufs de la ferme ou de la crème fraîche à la louche : là encore, conservez les récipients adéquats et réutilisez-les pour chacun de vos achats.

Un autre exemple, qui me hérisse à chaque fois les cheveux sur la tête : les biscuits individuellement emballés dans des sachets, sachets rangés dans une barquette, elle-même enfermée dans un paquet en carton... Quel est l'intérêt, si ce n'est celui de produire encore et encore des déchets qui n'ont aucune raison d'être ? Préférez ce que fait votre boulanger, lui aussi en bas de chez vous.

Recyclez

Seuls 65 % des emballages qui pourraient être recyclés l'ont été en 2004.

Devenez une adepte des déchetteries : les équipements électriques, électroniques et électroménagers qui représentent 14 kg par an et par habitant finissent aujourd'hui la plupart du temps en décharge, sans aucun traitement spécifique, bien qu'ils contiennent parfois des substances dangereuses. On prévoit que leur volume devrait doubler d'ici dix ans : agissez tant qu'il est encore temps.

Réfléchissez à ce que vous jetez !

Ne mettez pas à la poubelle :

— les piles (préférez les piles rechargeables) ;

— les cartouches d'imprimante ;

— les canettes en alu ;

— les packs de lait ou de jus en carton ;

— les bouteilles d'eau ;

— le verre ;

— le papier ;

— les déchets organiques (si vous avez une compostière) ;

— tout ce qui est électroménager.

Réfléchissez à ce que vous achetez !

Posez-vous deux ou trois questions :

« D'où ça vient ?

— Comment ça a été fabriqué ?

— Qu'est-ce qu'il y a dedans ?

— Une fois que je m'en serai servi, où ça ira ? »

Ah ! mais c'est très fatigant, tout ça... Admettons, à la limite. Mais une fois que vous avez trouvé les produits qui conviennent du point de vue écologique, vous pouvez être tranquille : plus besoin de vous plonger dans la lecture de la composition de tel ou tel liquide vaisselle !

Réduisez votre consommation

Limitez vos achats de produits manufacturés et trop transformés. Évitez, par exemple, d'acheter des plats déjà cuisinés : ils sont suremballés, contiennent des conservateurs et d'autres choses un peu opaques (comme le glutamate), et en plus coûtent plus cher. Par ailleurs, leur fabrication exige plus d'énergie que celle des produits moins transformés.

Consommez « intelligent »

Les produits et matériaux à bannir définitivement

— L'aluminium, qui consomme bien trop d'énergie pour être produit et dont la fabrication libère des gaz nocifs. Vous le remplacerez par du papier sulfurisé.

— Les lingettes, trop chères et bien trop encombrantes en terme de déchets. Un bon vieux torchon imprégné de vos produits d'entretien écolos fera aussi bien l'affaire, si ce n'est mieux.

— L'essuie-tout, les mouchoirs en papier, les verres, assiettes et couverts jetables. À remplacer par des torchons, des mouchoirs en tissu, des vrais verres, assiettes et couverts.

— Les sacs plastiques.

Utilisez des produits moins polluants et renoncez à :

— l'eau de Javel, à remplacer par du vinaigre d'alcool ;

— tous les produits d'entretien classiques, à base de détergent à remplacer par des produits écolos, voire par ceux que vous ferez vous-même ;

— la lessive, à remplacer par des noix de lavage ou du vrai savon de Marseille en paillettes ;

— l'adoucissant, à remplacer par des huiles essentielles et des balles de lavage ;

— vos gels douche et shampooings à base de détergents (comme le liquide vaisselle !), à remplacer par des produits d'origine naturelle : argiles, huiles végétales, huiles essentielles.

Choisissez le commerce équitable

Privilégiez les produits du commerce équitable : ils sont issus de l'agriculture biologique et garantissent un revenu décent aux producteurs dans des pays où ce n'est pas évident. Le commerce équitable est une forme d'échanges qu'il faut encourager. Le logo « Max Havelaar » est le plus connu, mais il y en a d'autres. Il existe, en plus des produits alimentaires, des vêtements et des baskets issus du commerce équitable, comme la Veja, en caoutchouc et coton bio.

Le bio, pourquoi pas ?

Non, manger bio ne doit pas être considéré comme une lubie de baba cool attardé, mais comme un moyen de défendre une agriculture et une façon d'élever les animaux plus respectueuses de l'environnement. Les ravages de l'agriculture intensive en matière de pollution n'étant plus à prouver, il est tout à fait pertinent de songer à acheter des produits qui n'en sont pas issus. Par ailleurs, vous trouverez en bio des aliments introuvables ailleurs : la farine d'épeautre ou de châtaigne, par exemple, ou encore le sucre de canne complet. Il ne s'agit pas pour autant d'en faire une religion : le petit producteur qui vend ses légumes sur le marché est tout à fait fréquentable, même s'il n'affiche pas de label bio. Il s'agit en fait de savoir comment sont cultivés les légumes que vous achetez et comment a été élevé le poulet que vous allez manger dimanche.

Traquez les éco-labels

L'éco-label français « NF-Environnement »

Les produits qui en portent la mention polluent moins que les autres.

L'éco-label européen

C'est l'équivalent au niveau européen de l'éco-label national « NF-Environnement ».

Le logo « Energy Star »

Il désigne les ordinateurs, imprimantes, etc. qui consomment le moins d'électricité.

Le logo « AB »

Il garantit que le produit est issu à 95 % d'une agriculture qui n'utilise pas de produits de synthèse.

Le logo « Max Havelaar »

Il garantit que les produits relèvent du commerce équitable.

L'anneau de Mœbius

C'est le symbole du recyclage. Accompagné d'un pourcentage, il signifie que le produit contient des matières recyclées, à hauteur du pourcentage affiché. Seul, il signifie juste que le produit peut être recyclé.

1. Fixez-vous des objectifs et n'y revenez pas

Par exemple, plus une bouteille en verre ou un prospectus ne doit finir dans votre poubelle. Ils atterriront désormais toujours dans le bac destiné aux produits recyclables.

2. Prenez le réflexe de repérer les dérivés de l'industrie pétrochimique

Regardez partout où ils se trouvent : produits d'entretien, crèmes hydratantes, parfums...

3. Privilégiez les produits bio, correctement labellisés

En l'occurrence, AB pour ce qui se mange et aussi pour les cosmétiques.

4. Mettez-vous au vert

Faites entrer des plantes vertes chez vous. Elles assainissent l'air et neutralisent certains polluants volatils.

5. Organisez-vous différemment pour faire vos courses

Allez au marché et chez les commerçants de votre quartier, découvrez les Biocoop et les paniers bio, achetez via Internet.

6. Évitez certains emballages

Non aux sacs plastique, aux canettes en alu, aux barquettes en polystyrène. Vous réduirez ainsi vos déchets et vous économiserez l'énergie qu'exigent ces produits pour être fabriqués.

7. Fixez-vous un jour par semaine sans viande ni poisson

Profitez-en pour tester de nouvelles recettes végétariennes !

8. Limitez la consommation des produits qui se baladent un peu trop

Un yaourt qui a fait 2 000 km pour arriver jusqu'à vous a-t-il vraiment meilleur goût ?

9. Buvez l'eau du robinet et...

Préférez-la à l'eau en bouteilles transportée par camion.

10. ... investissez dans une carafe filtrante du genre Britta

11. Évitez l'usage des envois express

Non aux Chronopost et autres colis livrés en 24 heures chrono.

12. Fixez-vous comme objectif de réduire de 1/3 vos déchets

Vous avez le droit à 4,5 kg par personne et par semaine.

13. Boycottez les fruits, légumes, viandes, poissons et fromages vendus sous conditionnement

Les barquettes sont fabriquées à base de polystyrène ou de polyéthylène, deux dérivés du pétrole, très nocifs pour l'environnement. Vous aurez au même prix l'équivalent vendu en vrac au marché.

14. Réutilisez les contenants recyclables comme contenants durables

Au lieu de les jeter, conservez vos pots de confiture, votre pot de crème fraîche ou la boîte qui contient de la glace qui vous fournit un Tupperware à moindre frais.

15. Faites attention à la provenance de ce que vous achetez

Et ne manquez pas de vous renseigner auprès de vos commerçants préférés sur l'origine de leurs produits (viande, fruits, légumes...).

chapitre 2

Comment trier et recycler les déchets
sans se fatiguer

Pourquoi est-il essentiel de vous intéresser à la question des déchets ?

Société de consommation oblige, nos poubelles souffrent très nettement de surcharge pondérale. Jugez par vous-même : en 1960, le poids moyen d'une poubelle française était de 303 kg par an. 30 ans plus tard, la même poubelle affiche tranquillement ses 588 kg sur la balance... Une réalité quelque peu problématique, puisqu'il va bien falloir se débarrasser de ces ordures, dont certaines peuvent en outre être extrêmement polluantes.

Car ce n'est pas seulement la taille de notre poubelle qui a changé : son contenu présente lui aussi des caractéristiques inédites et – disons-le – pas très sympathiques. Il y a cinquante ans, les gens jetaient essentiellement des déchets organiques, donc biodégradables. Aujourd'hui, on retrouve dans nos poubelles du plastique, des composants électroniques, des solvants, et surtout des emballages par wagons entiers. C'est désormais une certitude statistique : la proportion des emballages non dégradables, qui représentent 50 % du volume de nos poubelles et 33 % de leur poids, est en pleine expansion.

Face à cette explosion de déchets en tous genres, le recyclage est certes une solution. Il permet à la fois d'économiser les ressources naturelles (les matières premières, le pétrole...), d'économiser l'énergie et de réduire le volume de notre sac-poubelle. Pourtant, le fait que le recyclage se développe ne doit pas masquer cette évidence : le seul comportement qui puisse vraiment faire maigrir notre dose quotidienne de déchets, c'est de consommer à la fois moins et différemment !

Les déchets recyclables

On peut définir trois grandes catégories de déchets :

— **Les déchets ménagers,** qui comprennent les incontournables emballages, les traditionnelles épluchures, les bouteilles de votre dernière soirée et les prospectus qui envahissent votre boîte aux lettres...

— **Les déchets dangereux,** qui ne devraient jamais finir ni dans votre poubelle, ni dans votre évier ou vos toilettes, pour risque de pollution aggravée. Bien qu'ils fassent partie de notre vie quotidienne, piles, peintures, huiles, produits phytosanitaires, solvants et médicaments méritent un traitement à part... Faut-il préciser qu'ils doivent encore moins être jetés dans la nature ?

— **Les déchets encombrants,** qui non seulement sont encombrants, mais aussi polluants. Citons, entre autres, les ordinateurs, les téléphones portables, votre télé ou votre lave-linge. Ils contiennent des composants très toxiques et pour le recyclage desquels rien n'est vraiment prévu...

Parmi tous ces déchets, certains sont recyclables, d'autres ne le sont pas, mais ne doivent pas être pour autant jetés à la poubelle.

LE POINT « ÉCO-EMBALLAGES », UN SIGLE TROMPEUR

En bonne écolo-*girl*, vous vérifiez que ce que vous achetez correspond bien à vos idées en matière de respect de l'environnement. Et lorsque vous rencontrez ce sigle, présent sur la grande majorité des produits, vous êtes contente et vous vous dites que, décidément, on va dans le bon sens. Pourtant, ce sigle un peu fourbe sur les bords n'indique absolument pas que l'emballage soit recyclé, ni même d'ailleurs qu'il soit recyclable. Le point « Écoemballages » signifie simplement que le fabricant de l'emballage en question a bien versé une contribution financière (de l'ordre du centime d'euro...) pour participer à l'élimination de celui-ci. Pas de quoi appeler sa mère, donc.

Déchets facilement recyclables (honte à vous si vous les mettez encore à la poubelle !)

Attention ! ne mettez pas d'emballage souillé dans le container destiné à la collecte des produits à recycler. Cela risque d'empêcher le recyclage de tout le lot. Le carton à pizza avec du fromage fondu collé dessus, c'est non !

Les plastiques (PET, PEHD, PVC)

Plus de 7 milliards de bouteilles et flacons plastiques sont vendus chaque année en France ! Les matières plastiques, fabriquées à partir de pétrole, représentent 10 % de la masse totale des ordures ménagères. Pour l'instant, seulement trois sortes de plastiques sont recyclables... mais de façon provisoire :

— Le **PEHD** (polyéthylène haute densité) est utilisé pour fabriquer les bouteilles et flacons qui contiennent les lessives, le liquide pour lave-vaisselle, les adoucissants et assouplissants, les détergents, le vin, le lait.

— Le **PET** (polyéthylènetéréphtalate) sert à fabriquer des bouteilles d'eau, de boissons gazeuses ou plates, de vin, de vinaigre, et d'huile.

— Le **PVC** (polychlorure de vinyle) est principalement utilisé pour conditionner l'eau, les boissons, le vin, le vinaigre.

Recycler les plastiques : pourquoi ? comment ?

Le problème que posent les matières plastiques, c'est qu'elles ne sont pas du tout biodégradables : elles ne peuvent pas être détruites par les micro-organismes et ne craignent ni le gel ni l'assèchement. Les conditions sont donc réunies pour que la pollution qu'elles génèrent soit très, très, très durable ! On peut les incinérer, mais cette « solution » n'est qu'un pis-aller : lorsqu'on les brûle, les plastiques libèrent des produits toxiques volatils, dont les fameuses dioxines.

Les plastiques collectés sont triés en fonction du matériau qui les compose. Ensuite, bouteilles et flacons sont écrasés par une presse qui les transforme en « balles » contenant environ 5 000 bouteilles, qui seront séparées les unes des autres. On vérifiera leur état, puis elles seront lavées, broyées, séchées et transformées en granules ou en flocons. Ces derniers serviront de matière première pour fabriquer de nouveaux produits.

Le plastique sera toujours difficile à recycler, parce qu'il y a trop de plastiques différents pour que l'on puisse les trier facilement. Par ailleurs, vous devez savoir que les produits en plastique deviendront nécessairement des déchets à plus ou moins long terme et que le recyclage n'est qu'un moyen de retarder leur incinération. Contrairement au verre, le plastique ne reprend pas sa forme initiale une fois recyclé. En d'autres termes le recyclage du plastique ne limite pas sa production : il se contente d'ajouter de nouveaux produits (recyclés) à ceux qui ne le sont pas encore.

Que vont-ils devenir ?

Des tubes pour le passage des câbles électriques, des flacons, des bidons, des emballages pour des produits de grande consommation, des tuyaux d'évacuation, des revêtements de sols et de toitures, des fibres textiles.

Sachez trier. Les bouteilles, bidons et flacons en plastique sont recyclables, sauf ceux ayant contenu des produits gras, comme l'huile. Dans tous les cas, rincez les contenants.

Mettez dans le container : bouteilles d'eau, flacons de shampooing, bidons de produits ménagers...

Ne mettez surtout pas dans le container : les sacs plastiques, les bouteilles d'huile, les pots de yaourt, les barquettes en polystyrène, les boîtes ou paquets en plastique souple, les films d'emballage en plastique...

Les métaux (acier et aluminium)

Ces métaux font partie de nos vies (et de nos poubelles), de la canette de boisson sucrée au papier alu, en passant par le couvercle de yaourt. L'acier et l'aluminium sont certes recyclables ; pourtant, le recyclage là non plus n'est pas une panacée. Mieux vaut limiter votre consommation d'aluminium.

Recycler l'aluminium : pourquoi ? comment ?

L'aluminium provient de gisements de bauxite dont l'exploitation entraîne la destruction des forêts. Il est fabriqué par électrolyse – une opération qui consomme énormément d'énergie. *Last but not least* : 1 tonne d'aluminium entraîne le rejet de 4 tonnes de boues et produit en même temps des vapeurs de fluor dans l'air et dans l'eau. Celles-ci, très oxydantes, attaquent la végétation, pendant que les eaux se chargent de fluor et de sels d'aluminium toxiques.

Le recyclage de l'aluminium présente un avantage non nul : il conserve les qualités initiales du produit. De plus, il exige nettement moins d'énergie que pour l'aluminium de première fusion, puisque seuls 5 à 10 % de l'apport initial sont nécessaires. Il permet aussi d'économiser les matières premières. Comme l'aluminium, l'acier est facilement et entièrement recyclable. 40 à 50 % de l'acier consommé est recyclé.

Sachez trier. Tous les emballages en acier et en aluminium peuvent être recyclés s'ils ont été préalablement vidés de leur contenu.

Mettez dans le container : les boîtes de conserve, canettes et barquettes en aluminium, aérosols alimentaires (chantilly) ou cosmétiques (déodorant, laque)...

Ne mettez surtout pas dans le container : les emballages très sales, les aérosols ayant contenu des produits toxiques comme de la peinture, de l'insecticide, du dégrippant...

Le papier

Le papier représente près de la moitié de nos ordures ménagères – ce qui représente entre 4 et 6 arbres par personne ! (Étant donné le nombre de prospectus que je vois chaque jour dans les boîtes aux lettres, ça ne m'étonne pas.) Notez-le dans vos tablettes : chaque tonne de papier recyclé sauve environ 15 arbres.

Le recyclage du papier : pourquoi ? comment ?

Ce n'est pas tant le fait que la fabrication du papier utilise des arbres qui pose problème, que celui qu'elle génère de nombreuses pollutions. Le papier est blanchi au chlore – ce qui contamine l'eau. Par ailleurs, sa fabrication produit du dioxyde de carbone et des composés soufrés rejetés dans l'air. Recycler le papier réduit les quantités de bois nécessaire à la fabrication et économise environ 90 % d'eau et 50 % d'énergie.

Pour recycler les vieux papiers, il faut d'abord en enlever l'encre. Les agrafes et les trombones sont écartés grâce à des aimants. La pâte à papier est obtenue en ajoutant de l'eau au papier broyé et un peu de fibre de bois. La pâte est ensuite séchée et mise en balles. Le papier recyclé servira à faire du papier hygiénique, du papier d'imprimerie, du papier à écrire.

Désengorgez votre boîte aux lettres

Les pubs qui atterrissent chaque jour dans une boîte aux lettres sont une véritable plaie. Pour que cela cesse, vous pouvez coller sur votre boîte aux lettres un autocollant signalant que vous ne souhaitez pas de prospectus. Il en existe plusieurs, fabriqués par des institutions ou des associations. Renseignez-vous auprès de votre mairie ou de l'Agence gouvernementale de l'environnement et de la maîtrise de l'énergie (ADEME) de votre région. Vous pouvez aussi demander votre inscription sur la liste « Robinson / Stop publicité » (voir coordonnées dans « Adresses utiles »). Cela vous permettra d'être rayée des fichiers de sociétés de VPC.

Pour que France Télécom cesse de communiquer vos coordonnées à toutes les entreprises de vente par correspondance, composez le 1014 et demandez votre inscription sur la liste Orange. C'est gratuit et vous continuez à paraître dans l'annuaire. Si ces sociétés persistent à vous harceler, vous pouvez saisir la Commission nationale Informatique et Libertés (CNIL) en évoquant l'article 26 de la loi « Informatique et libertés » du 6 janvier 1978 (voir coordonnées dans « Adresses utiles »).

L'ARROSEUR ARROSÉ

Si, malgré les démarches mentionnées ci-dessus, votre boîte aux lettres continue à dégorger de courriers dont vous vous passeriez bien, il vous reste un dernier recours. Il vous suffit de marquer « Retour à l'expéditeur » à l'emplacement de votre adresse avant de poster le tout. Il m'arrive de le faire ; c'est très plaisant. Attention : pour cela, il ne faut pas avoir ouvert les enveloppes !

Sachez trier. Déposez papiers, journaux, cartons... au container prévu à cet effet. 85 % des vieux papiers qui sont dans votre poubelle peuvent (et doivent !) être récupérés pour fabriquer du papier recyclé.

Mettez dans le container : les emballages en carton, les emballages des packs de yaourts, les boîtes de céréales, l'emballage de votre tube de dentifrice, les journaux, magazines, revues et papiers, qui ne contiennent que du papier...

Ne mettez surtout pas dans le container : les étiquettes autocollantes, le papier fax, les enveloppes à fenêtre, le papier paraffiné, les mouchoirs en papier, le papier essuie-tout, les assiettes jetables, les papiers alimentaires, les emballages qui comprennent d'autres matériaux comme le plastique ou le métal, les livres à couverture rigide...

Le verre

Le verre est le matériau recyclable par excellence. Il présente en effet l'avantage de pouvoir être recyclable indéfiniment sans perdre ses qualités premières. Pour cette raison, lorsque vous avez le choix, privilégiez toujours le verre.

Le recyclage du verre : pourquoi ? comment ?

Une fois débarrassé par divers procédés de ses impuretés, le verre est refondu à 1 500°C, pour donner une pâte de verre liquide. C'est ce qu'on appelle « le calcin ». Après 24 heures passées dans le four, la pâte liquéfiée sera coupée par des machines, moulée et soufflée.

Les bouteilles obtenues sortent à 900 °C.

L'usage de calcin évite le recours aux matières premières, comme le calcaire, le sable de silice et le carbonate de soude. Le recyclage permet ainsi de préserver ces ressources naturelles ; il permet également de diminuer la température de fusion du verre et d'économiser l'énergie nécessaire à la transformation des matières premières. Conséquence : il y a moins d'émissions polluantes liées à la consommation de charbon et de pétrole.

Mettez dans le container : les bouteilles, les pots de confiture, les bocaux divers... Dans tous les cas, rincez les contenants.

Ne mettez surtout pas dans le container : la vaisselle, les verres (ils contiennent trop de plomb), les ampoules, le verre à vitres...

Les déchets organiques

Tous vos déchets organiques (épluchures, restes de repas, fleurs fanées, pain rassis, boîtes à œufs, etc.) peuvent aussi être recyclés, à condition que vous fassiez un compost (voir chapitre 3). Le principe est simple : les déchets sont « consommés » par les micro-organismes et par les vers, qui les transforment en humus. Le compostage est très intéressant du point de vue de l'amaigrissement de votre poubelle. Pour celles qui vivent en appartement, il suffit d'avoir un balcon et des plantes pour se lancer dans l'aventure. Vous pouvez acheter une lombricompostière (en vente sur Internet), l'installer sur votre balcon et recycler ainsi tranquillement tous vos déchets organiques. Vous constaterez que vos visites au local à poubelles se feront moins fréquentes. Les plus motivées ne disposant pas de balcon pourront, quant à elles, installer ce bac à compost pas comme les autres dans leur cuisine.

Revoir votre consommation, c'est encore mieux !

Le recyclage, c'est bien, mais ce n'est pas la solution miracle : pour certains matériaux comme le plastique, ce procédé ne fait que différer l'incinération, sans vraiment résoudre le problème. Au final, on ne sait toujours pas quoi faire de cet inusable matériau... La solution consisterait donc plutôt à réduire grandement votre production de déchets. Ce qui suppose encore une fois de prendre de nouvelles habitudes et de vous y tenir.

Les déchets dangereux

Ils peuvent être d'apparence très anodine, comme les piles de votre vieux transistor ou votre cartouche d'imprimante. Pourtant, ce sont ces déchets qui risquent de poser le plus de problèmes dans un avenir proche.

Les piles

Elles représentent la part la plus polluante de nos ordures ménagères : chaque année, 750 millions de piles et accumulateurs sont mis sur le marché français.

Recycler les piles : pourquoi ? comment ?

Les piles contiennent des métaux lourds toxiques et nocifs (citons notamment le nickel, le cadmium, le mercure, et le plomb). Si vous vous contentez de les jeter à la poubelle, elles seront incinérées et iront polluer l'air et l'eau par le biais des boues et des fumées rejetées, des cendres volantes... En clair, les substances dangereuses qu'elles contiennent vont d'abord se retrouver dans la nature, puis dans ce que vous mangez, buvez et respirez. Quant aux piles jetées n'importe où et exposées aux intempéries, elles vont rouiller – ce qui entraînera la fuite des métaux lourds et l'infiltration dans les sols : à terme, les sols, les cours d'eau et les nappes phréatiques seront lourdement pollués. Les piles contiennent du mercure qui, au contact de l'eau, se transforme en une substance très toxique et facilement absorbée par les organismes vivants. Dans les deux cas, la pollution est d'autant plus importante qu'elle ne se voit pas à l'œil nu.

Depuis 2001, les fabricants et importateurs de piles ont l'obligation de les récupérer et de les éliminer. Le recyclage permet, dans un premier temps, d'économiser des matières premières – essentiellement des métaux lourds. Ceux-ci sont récupérés en mettant les piles usagées à fondre dans des fours à 1 200 °C. Ils sont ensuite réutilisés pour faire des rails de chemin de fer, pour fabriquer des robinets, des gouttières ou de la peinture antirouille.

Sachez trier. Vous pouvez déposer vos piles usagées dans les déchetteries, dans toutes les mairies, dans toutes les grandes surfaces, ou chez les artisans et commerçants volontaires (photographes, horlogers, bijoutiers, buralistes...) ayant un bac collecteur approprié.

Pour ne pas avoir à recycler. Privilégiez les piles rechargeables et bannissez peu à peu les piles jetables.

Les huiles de vidange

Environ 30 000 à 35 000 tonnes d'huiles de vidange sont générées chaque année. Elles contiennent de nombreux éléments toxiques pour la santé et l'environnement.

Recycler les huiles de vidange : pourquoi ? comment ?

Ces huiles sont peu biodégradables et leur densité est plus faible que l'eau. Ainsi, 1 litre d'huile peut couvrir une surface de 1 000 m^2 d'eau et empêcher l'oxygénation de la faune et de la flore. Quant à les incinérer, ce n'est pas une bonne idée : leur combustion peut dégager des fumées toxiques.

1/3 des huiles récupérées est régénéré et prêt à être réutilisé dans de nouveaux lubrifiants. Le reste sert de combustible dans certaines installations industrielles, comme les cimenteries.

Sachez trier. Si vous faites vous-même votre vidange, ne jetez pas l'huile récupérée ! C'est interdit par la loi et passible d'une amende pouvant aller jusqu'à 900 euros. Rapportez-la à un garagiste habilité (adhérent au « Relais vert auto », par exemple) ou à la déchetterie. Pour cela elle ne doit pas être mélangée à d'autres produits. Pour connaître les points de collecte, contactez l'ADEME.

À noter : ceci est valable aussi pour les huiles végétales de cuisine, comme les huiles de friture.

Les produits phytosanitaires

Il est bel et bon de cultiver son jardin. Pourtant, l'usage de certains produits (insecticides, herbicides, fongicides) a des conséquences néfastes sur l'environnement : ils contiennent des pesticides, très toxiques, soupçonnés d'être cancérigènes et de réduire la fécondité masculine.

Ces produits n'étant pas du tout recyclables, la seule solution consiste à ne plus du tout les utiliser.

Comment faire ?

— Ne jetez pas ces produits dans l'évier, le caniveau, les fossés ou les cours d'eau.

— Apportez les produits que vous n'avez pas utilisés à la déchetterie, dans un flacon bien fermé.

— Ne les abandonnez jamais en milieu naturel.

— Et passez au jardinage bio en lisant le chapitre de ce livre consacré au sujet !

Les peintures et solvants

Les décapants

Ils sont pour la plupart à base de chlorure de méthylène : c'est précisément ça qui vous donne la délicieuse impression d'être un hamster aux yeux rougeoyants pendant que vous décapez votre parquet. Ces composés organiques volatils, non contents de vous donner mal à la tête, contribuent aussi à la pollution de l'air et à l'effet de serre.

Les solvants

Ils peuvent être à base de pétrole, comme le white-spirit, de chlore, comme le trichloréthylène qui sert à enlever les taches des vêtements, ou d'oxygène, comme l'acétone ; certains sont d'origine végétale, comme la térébenthine. On les trouve dans les peintures, et ils sont très polluants.

À savoir :

1 litre de white-spirit jeté dans l'évier pollue plus de 800 000 litres d'eau...

La peinture

Elle est constituée notamment de solvants, de pigments et de liants (résines). L'eau remplace de plus en plus souvent les solvants. Il faut néanmoins savoir que les peintures et vernis à l'eau contiennent tout de même entre 5 et 20 % de solvants. Si vous êtes enceinte, n'utilisez jamais de peinture contenant des éthers de glycol : ceci pourrait avoir de graves conséquences pour votre bébé.

Les pigments, quant à eux, peuvent être toxiques même en très faible concentration lorsqu'ils contiennent des métaux toxiques comme le cadmium, le plomb ou le chrome. Rejetés dans les égouts ou sur les sols, ils contaminent l'eau et la chaîne alimentaire. Incinérés, ils libèrent des gaz cancérigènes.

Bref, peintures et solvants sont comme un condensé de ce que l'industrie chimique offre de plus performant en matière de pollution.

Que faire alors ?

— Choisissez des produits comportant le logo de la norme NF-Environnement. Leur impact sur l'environnement est moindre – ce qui ne signifie pas qu'ils ne polluent pas. Disons que c'est juste moins pire que le reste.

— Ne jetez jamais les solvants usagés, les restes de peinture ou de colle dans l'évier, dans les toilettes ou dans votre jardin.

— Triez tous les déchets de vos travaux (restes de peinture, de colle ou de vernis, solvants usagés, chiffons et emballages pleins de produits), enfermez-les dans des récipients hermétiques et apportez-les à la déchetterie.

Les DEEE

Mais que signifie donc ce sigle étrange ? Il désigne les « déchets d'équipements électriques et électroniques ». Ceux-ci comprennent aussi bien votre brosse à dents électrique préférée et votre frigo que le dernier Mac que vous venez de vous offrir ou votre vieux téléphone. Ils représentent en France 1,7 million de tonnes de déchets : en moyenne, un Français jette 14 kg d'équipements électriques et électroniques par an. Le problème, c'est que ce chiffre augmente de 3 à 5 % chaque année...

Qu'en faire ?

Ces déchets sont problématiques dans la mesure où ils contiennent des métaux lourds comme le mercure, le plomb, le cadmium, le chrome, et le brome, de l'amiante et de l'arsenic, des substances halogénées comme les chlorofluorocarbones (CFC), les PCB, et le PVC. Jusqu'à présent, ils étaient incinérés avec le tout-venant des ordures ménagères : vivent les émanations de gaz chlorés, d'acide chlorhydrique et de dioxines !

À savoir : depuis le 13 août 2005, les producteurs et distributeurs d'équipements électroniques et électriques sont tenus de reprendre gratuitement vos équipements usagés, dès lors que vous en achetez un neuf. Mais si on vous offre un ordinateur portable pour votre petit Noël, qui se chargera de récupérer votre vieux PC ? Il faut bien avouer que, pour le moment, il est difficile de savoir vers qui se tourner pour se débarrasser de ce type de déchets technologiques, les filières de collecte n'étant pas franchement mises en place. En attendant, gardez-les donc chez vous jusqu'à ce que la collecte en soit organisée.

Vous trouverez, à la fin de cet ouvrage, quelques adresses d'entreprises qui récupèrent et recyclent ce type de matériel.

Les cartouches d'imprimante

En France, près de 190 millions de cartouches d'imprimante laser ou à jet d'encre sont consommées chaque année ! Et plus de 80 % de ces cartouches sont jetées après utilisation... Or, le toner qu'elles contiennent peut avoir un effet irritant pour le système respiratoire, notamment pour les personnes souffrant d'asthme ou de bronchite chronique. Sans parler du contenant en plastique...

Recycler les cartouches

Il est possible de vidanger et de reconditionner les cartouches d'imprimante. Celles-ci peuvent effectuer entre 3 et 6 cycles d'utilisation. Comme pour les DEEE, il n'existe pas vraiment pour le moment de filière dédiée à ce type de recyclage. Normalement, les fabricants devraient cette année mettre en place un système de reprise des anciennes cartouches, à l'image de ce qui se fait pour l'électroménager et l'informatique. Il existe aussi des associations ou des entreprises qui rachètent et recyclent les cartouches d'imprimante usagées, comme l'association « Recyclage solidaire » (*http ://www.recyclagesolidaire.org/*).

Petits conseils tout simples à mettre en pratique

— N'imprimez que ce qui doit vraiment l'être.

— Configurez votre imprimante en mode « économie » pour économiser l'encre. Pour cela, choisissez l'option « impression rapide ».

— Si vous le pouvez, imprimez deux faces du document sur une seule page.

— Évitez tant que possible l'impression en couleurs.

Les produits à bannir définitivement

La lingette : une vraie fausse bonne copine

Pour nettoyer les fesses de votre bébé : une lingette. Pour vous démaquiller ou vous autobronzer : une lingette. Pour faire reluire l'armoire de mémé : une lingette. Le fait est que ce petit objet reste une des inventions marketing les plus réussies et les plus perfides de la décennie. À usage unique, elles n'encombrent pas longtemps les placards. De plus – c'est vrai –, elles évitent d'avoir à plonger ses petites mains dans le seau à serpillière (beurk !) ou d'essorer l'éponge peu ragoûtante qui vient de servir à nettoyer la baignoire. Si vous êtes vous-même une adepte de la chose, sachez-le : il va vous falloir arrêter immédiatement ! (Oui, c'est cruel, mais sans appel.) Commençons par l'argument pécuniaire, en soi très parlant : nettoyer votre maison avec des lingettes vous coûte 15 fois plus cher que si vous vous contentiez classiquement de manier balai, serpillière et éponge. L'autre excellente raison de dire non à la lingette : elle fait encore grossir nos poubelles, qui frôlent déjà l'obésité. Une famille qui l'utilise régulièrement génère 58 kg de déchets supplémentaires par an... Autant de déchets qui, n'étant pas recyclables, ne seront pas recyclés et finiront incinérés.

Retournez à l'original

Vous avez déjà oublié comment on faisait le ménage avant l'apparition des lingettes ? Éponge, aspirateur, chiffon et serpillière, donc. Si comme moi vous n'êtes pas une adepte de la serpillière, je vous conseille ce qu'utilisent les Espagnol(e)s : un manche à balai sur lequel on visse une sorte de « tête » qui sert à laver le sol. Un système ultrasimple, qui évite de tremper les mains dans le seau et d'avoir à se baisser.

Pour les lingettes qui servent à vous démaquiller ou à nettoyer les fesses de votre bébé, il y a une alternative facile à faire vous-même. Il suffit de découper en carrés un grand morceau de tissu du genre laine polaire. Cette fibre textile ne s'effiloche pas et n'a donc pas besoin d'être cousue (un argument évidemment destiné aux paresseuses). Découpez une vingtaine de carrés de la taille que vous voulez pour faire vos lingettes non jetables.

Non, non, non, non aux sacs plastiques !

Utilisés en moyenne 20 mn, ils sont incinérés ou jetés dans la nature où il leur faudra jusqu'à 400 ans pour disparaître. 15 milliards de sacs plastiques sont distribués chaque année en France et 100 millions d'euros sont dépensés pour leur élimination.

ATTENTION AU « NÉOSAC » !

Présenté comme une alternative biodégradable du sac plastique, le Néosac, qui comporte un additif à base de pesticides, n'est absolument pas biodégradable, mais fragmentable. Il se transforme en mini-particules. Et celles-ci se retrouvent ensuite dans la nature, qu'elles polluent tout autant que le sac d'origine, sans être aussi identifiables...

Les couches lavables (pour les plus motivées)

Certes, les couches jetables apportent un confort très appréciable... au moins aux mamans. Pourtant, du point de vue écologique, il y a tout à revoir ! D'une part, à cause des déchets produits : sachant qu'un bébé « consomme » 2 500 couches par an pendant 2 ans et demi, il produira pendant cette période plus de 1 tonne de déchets (emballages non compris). À noter : une couche jetable met environ 500 ans à se dégrader... D'autre part, à cause de leur fabrication : chaque année environ 5 millions d'arbres sont abattus à cet effet. L'eau rejetée après la fabrication de la cellulose est très fortement chargée en polluants chimiques. Pour terminer, leur incinération provoque l'émission de dioxines. De très bonnes raisons d'envisager de passer aux couches lavables, donc.

Celles-ci, que l'on trouve maintenant assez facilement, vous reviendront moins cher sur le long terme. Petit calcul vite fait : 6 500 couches jetables (ce que consommera votre Bibou chéri) coûtent 1 600 euros par enfant. Les couches lavables (il faut en compter une vingtaine à l'achat) vous reviendront à 700 euros, lavages compris. En sachant qu'elles peuvent être réutilisées pour les frères et sœurs à venir. Les couches lavables font donc un cadeau de naissance utile et écolo. Suggérez-le à votre entourage si vous attendez un heureux évé-nement.

Concrètement, comment ça marche ?

Exactement comme une couche jetable, mais qui serait en tissu. Rassurez-vous, vous mettrez au fond de la couche du papier, qui vous permettra de recueillir les « grosses commissions » et de les jeter aux toilettes avant de faire tremper la couche dans un seau avec quelques gouttes d'huile essentielle de *tea tree*, puis de la laver. Pour que l'usage des couches lavables ne devienne pas une « galè-re », vous devez cependant en avoir un stock suffisant pour qu'elles puissent sécher sans que vous soyez à court. Il vous faut donc une vingtaine de couches. Vous pouvez les acheter par Internet.

Rappel à l'usage de l'éco-citoyen

N'abandonnez pas n'importe où les produits suivants, ne les jetez pas dans l'égout, ne les brûlez pas ; rapportez-les systématiquement à la déchetterie :

— les produits détachants ;

— les produits antirouilles ;

— l'eau de Javel ;

— les produits déboucheurs pour éviers ou W.-C. ;

— les décapants pour fours ;

— l'huile de friture ;

— l'huile de vidange de votre voiture ;

— l'antigel ;

— la batterie de votre voiture ;

— les produits phytosanitaires (insecticides, herbicides, fongicides...) ;

— les restes de peintures et de vernis ;

— les diluants, du type white-spirit ;

— les piles et les accumulateurs ;

— les produits chimiques : acides chlorhydrique et sulfurique, ammoniaque, éther, formol...

Pour savoir où déposer votre vieille imprimante à jet d'encre et votre cafetière électrique en fin de vie, contactez l'Agence gouvernementale de l'environnement et de la maîtrise de l'énergie (ADEME) proche de chez vous.

Rapportez à la pharmacie médicaments périmés et thermomètres.

1. N'utilisez plus d'essuie-tout, plus de mouchoirs en papier ni de lingettes

Utilisez des serviettes, des nappes et des mouchoirs en tissu plutôt que leur équivalent jetable en papier. C'est le genre de geste qui ne vous épuisera pas...

2. Préférez le tableau aux Post-it volants

Plus efficace et écolo pour noter ce que vous avez à faire.

3. Achetez du papier toilette en papier 100 % recyclé

4. Remplacez les filtres à café par un filtre permanent

Ou achetez une cafetière italienne ! Pour le thé, du thé en vrac et une bonne vieille théière remplaceront les sachets.

5. Évitez les boîtes de conserve en aluminium et préférez les pots en verre

L'aluminium n'est pas biodégradable et sa fabrication consomme beaucoup trop d'énergie. Pour produire 1 tonne d'aluminium, il faut 4 tonnes de bauxite et 6 tonnes de pétrole.

6. N'utilisez plus de papier aluminium

Remplacez-le par du papier sulfurisé ou des boîtes en plastique hermétique. J'utilise, pour ma part, des boîtes qui contenaient des glaces, que je recycle de cette façon.

7. N'achetez pas les produits vendus par lot

Acheter 1 paquet de pâtes familial plutôt que 4 paquets vendus en lot, c'est générer 4 fois moins de déchets à quantité de produit égale. Boycottez aussi les produis vendus en monodose.

8. Fuyez comme la peste les diverses collations suremballées et les mini-portions

Hors de prix, cette dernière trouvaille marketing à destination des enfants est très nettement suremballée ! Une boîte de fromage fondu et une tranche de pain les remplaceront très avantageusement. Et si vos enfants protestent, expliquez-leur ce que vous en pensez.

9. Dites non aux produits emballés dans des barquettes en mousse gonflée !

Celle-ci contient du CFC, gaz nocif pour la couche d'ozone, et du polystyrène. Boycottez au maximum le polystyrène ! C'est l'exemple type du déchet permanent 100 % non biodégradable et non recyclable.

10. Prenez l'habitude d'avoir toujours un filet dans votre sac à main

O.K. ! ça fait mémère, mais cela vous évitera d'avoir à accepter un sac plastique de plus.

11. Choisissez de préférence des emballages qui contiennent des produits recyclés

On les reconnaît au logo suivant : un anneau de Mœbius, qui indique un pourcentage en son centre.

12. Fuyez les bouteilles en plastique

Préférez celles en verre.

13. Triez bien vos déchets

Ainsi vous ne compromettrez pas le recyclage d'un lot entier de produit recyclable.

14. Remplacez votre coton à démaquiller

Celui-ci est blanchi au chlore et donc polluant. Préférez une éponge végétale rectangulaire que vous aurez fait bouillir un quart d'heure dans de l'eau vinaigrée avant de la couper en une dizaine de morceaux. Ceux-ci vous serviront à vous démaquiller. Vous les laverez à la machine après usage, en les enfermant dans un sac en tissu ou une chaussette nouée.

15. Initiez vos enfants au tri sélectif

Expliquez-leur pourquoi il est important de ne pas jeter les pots de yaourt en verre à la poubelle. Ils comprendront parfaitement.

chapitre 3

Comment faire un jardin (ou un balcon !)
bio qui pousserait un peu tout seul

Quels sont les principes de base ?

Vouloir être écolo sans cultiver son bout de jardin, voilà un paradoxe difficile à assumer... Si vous pensez que jardiner consiste surtout à faire des choses fatigantes (comme bêcher) ou fastidieuses (comme arroser), revenez bien vite sur ces préjugés. Rien n'est plus reposant que de se livrer aux joies du jardinage, à plus forte raison si vous optez pour le bio : la plus grande part du travail est laissée à la nature... Que ce soit sur votre balcon ou dans un jardin partagé, rien ne vous empêche de goûter aux joies de l'horticulture, même si vous vivez en appartement.

Vouloir jardiner bio exige de respecter un principe essentiel : ne jamais utiliser de produits de synthèse, qu'il s'agisse d'engrais, d'insecticides ou de fongicides. Il existe des produits bio ou des techniques spécifiques qui remplissent les mêmes fonctions sanitaires, tout en évitant de répandre de vilains pesticides autour de vous. Parallèlement à cette règle essentielle, qu'il faut absolument respecter, le jardinage bio préconise de limiter les arrosages. L'eau est une denrée précieuse, qui présente en outre l'avantage de tomber du ciel. Pas question donc de gaspiller celle qui vient du robinet pour arroser vos plantes, qui se contentent très bien de la pluie.

Avoir une petite sensibilité écolo consiste aussi à ne pas acheter certains types de graines (les hybrides F1, pour ne pas les nommer), conçues pour donner des plants stériles... ce qui oblige à racheter des semences. Et à privilégier la multiplication naturelle des plantes, par bouturage ou division, par exemple. Autant de gestes faciles à faire, même si vous n'avez encore aucune expérience en matière de jardinage. « Laisser faire la nature » (dans une certaine mesure bien sûr !), tel est le mot d'ordre : un principe qui semblera bien doux aux oreilles d'une paresseuse.

Faites votre compost

Le compost, c'est un peu la joie chaque jour renouvelée de la flemmarde lambda : il suffit de jeter vos déchets organiques sur votre tas de compost plutôt qu'à la poubelle et de laisser faire les vers pour obtenir une sorte de terreau, qui est en même temps un engrais naturel de qualité. Avantage collatéral : le volume de votre poubelle réduit notablement (1/3 de ce qu'elle contient peut être composté) et vos sorties pour sortir les sacs d'ordures aussi ! Que d'énergie économisée...

Votre façon de composter va essentiellement dépendre de votre habitation. Soit vous disposez d'un jardin, auquel cas vous l'agrémenterez d'un tas de compost classique ; soit vous vivez en appartement, auquel cas vous achèterez une lombricompostière qui vous permettra de faire du compost même en intérieur. Le principe : un bac dans lequel vous déposez des lombrics à compost (à ne pas confondre avec les vers de terre) qui feront tout le travail pour vous ! Ces vers se reproduisent très vite (un seul lombric peut avoir 500 descendants en un an) et se nourrissent voracement de diverses matières décomposées... qu'ils restituent sous forme d'humus.

Des animaux pas compliqués, pour peu que vous gardiez votre compost suffisamment humide et à la température adéquate (entre 15 et 25 °C). Attention, ces vers ne survivent pas au gel.

Composter dans un jardin

Dans un coin du jardin, creusez un trou d'une bonne vingtaine de centimètres, sur une surface de 1 m × 1 m. Ce trou sera la base de votre compost, l'endroit où vous déposerez vos déchets. Les détritus ne pourront en effet être compostés que s'ils se trouvent en contact avec la terre : ce sont les micro-organismes qu'elle contient qui vont amorcer et maintenir leur décomposition.

Vous pouvez vous contenter de laisser ceux-ci s'amonceler à l'air libre (option « paresseuse »), vous pouvez aussi entourer votre tas de compost par des planches ou utiliser un tonneau ou un grillage en cercle ou en carré (option « plus motivée »). On vend sinon dans le commerce des bacs à compost, qui ressemblent à des silos, dont le fond est souvent constitué de palettes de bois. 2 mois sont nécessaires pour que la décomposition de vos déchets s'amorce ; passé ce délai, vous retournerez ce tas de temps en temps pour l'aérer et activer la décomposition.

Composter sur un balcon ou en appartement

La difficulté du compost sur balcon, c'est que le contact avec la terre, nécessaire pour que le travail des bactéries et des enzymes puisse se faire, n'est pas vraiment possible. Il vous faudra donc acheter un bac spécifique, appelé « lombricompostière » ; ce n'est rien d'autre qu'un bac à compost prévu pour fonctionner hors sol, grâce à des vers... à compost. Ces derniers se nourrissent de la matière organique qu'ils trouvent en surface, puis déposent leurs déjections dans le fond du bac. Celles-ci vont former le terreau, que vous « récolterez » au bout de quelques semaines. Le compost récupéré vous servira à rempoter vos plantes. Pour ce faire, vous devrez le mélanger à proportion égale avec de la terre de jardin. Un détail qui a son importance : contrairement à ce que l'on pourrait croire, le lombricompostage ne dégage pas d'odeur ! Un avantage qui vous permettra notamment de recycler vos déchets organiques dans votre cuisine, même si vous n'avez pas de balcon. La lombricompostière s'achète le plus souvent par correspondance, via Internet, tout comme les vers. *À savoir* : pour aider à la décomposition, il vous faudra réduire vos déchets en morceaux, voire les broyer si vous le pouvez.

Dans cette caisse, vous jetterez tous vos déchets organiques végétaux :

— les fleurs et feuilles mortes ;

— les épluchures et restes de fruits et légumes ;

— les restes alimentaires qui ne sont pas à base de viande ;

— la terre et le terreau issus des fonds de bacs à fleurs ;

— un peu de terre du jardin ;

— le marc de café, avec ou sans le filtre (à moins que celui-ci ne contienne pas de chlore) ;

— les sachets de thé ;

— les cendres de bois ;

— les sciures et copeaux de bois ;

— certains cartons légers et non imprimés (boîtes à œufs, rouleaux d'essuie-tout ou de papier toilette) ;

— les coquilles de fruits secs (noix, noisettes, amandes) ;

— les coquilles d'œufs.

Les déchets qu'il ne faut pas mettre dans votre compost :

— tous les déchets animaux (viande, os, poisson) et leurs dérivés (matières grasses animales, yaourt, fromage) ;

— les matières grasses animales et végétales ;

— les écorces d'agrumes, qui ne se décomposent pas ;

— les excréments animaux et humains (outre leur odeur, ils attirent les mouches) ;

— les plantes tuées par herbicide ;

— les feuilles de noyer et de rhubarbe, les thuyas, qui peuvent être toxiques pour certains insectes du sol.

Pour avoir des plantes gratuites, bouturez !

Le bouturage est une activité qui séduira non seulement les fatiguées de naissance, mais aussi les sensibles du chéquier. Le principe : « cloner » une plante à partir d'un de ses morceaux, le plus souvent une tige. Concrètement, cela consiste à couper une tige, à la mettre dans un verre d'eau ou directement en terre, et à attendre que les racines poussent. Vous obtenez alors une seconde plante, génétiquement identique à la plante mère et totalement gratuite...

Pour ma part, je bouture mes plantes en utilisant les deux techniques possibles (dans l'eau, en terre). De cette façon, je double mes chances d'obtenir un résultat.

Bouturer dans un verre d'eau

Rien n'est plus simple : vous prélevez l'extrémité d'une tige, si possible non fleurie, sur une vingtaine de centimètres. S'il s'agit d'un arbuste, vous choisirez un rameau dont le bois n'est pas encore formé, pour que les racines puissent sortir facilement. Vous couperez la tige sous un nœud, puis vous enlèverez les feuilles basses sur quelques centimètres.

Éventuellement, vous pouvez aussi utiliser de l'hormone de bouturage : il s'agit d'une poudre, que vous trouverez facilement en jardinerie, dont vous enduirez le bout de la tige à bouturer (là où vous avez enlevé les feuilles) avant de le mettre dans un verre d'eau. Vous mettrez le tout dans un endroit aéré et bien exposé à la lumière, jusqu'à ce que vous voyiez les racines apparaître. Le temps d'apparition des racines varie notablement d'une plante à l'autre.

Lorsque la bouture a suffisamment développé ses racines (soit sur 3 cm environ), vous n'avez plus qu'à la mettre dans un pot en utilisant un terreau « spécial semis ». Ceci n'est pas obligatoire néanmoins. Choisissez en tout cas un terreau léger pour que votre bouture s'adapte plus rapidement à son nouveau sol et à ses nouvelles conditions de culture.

Bouturer directement dans la terre

On bouture généralement de cette façon du mois de mars au mois de mai. En choisissant cette méthode, vous faites du deux en un : pas besoin de repiquer votre bouture une fois qu'elle a des racines. Vous couperez une jeune tige saine et sans fleurs. La future bouture doit mesurer une vingtaine de centimètres, sachant que ces mesures varient en fonction de la taille de la plante. Vous éliminerez ensuite les feuilles inférieures jusqu'à mi-hauteur de la tige. Il est souvent conseillé de réduire de moitié les feuilles qui restent en les coupant au ciseau dans le sens de la largeur. Personnellement, je ne l'ai jamais fait – ce qui n'a pas empêché mes boutures de prendre. Vous piquerez ensuite la tige dans la terre en l'enterrant jusqu'aux premières feuilles. N'oubliez pas d'arroser copieusement pour que la bouture prenne. Paresseuse, oui, mais aussi patiente : cela peut prendre entre un et plusieurs mois avant que vos boutures ne deviennent véritablement des plants.

Le marcottage

Si vous avez des plantes grimpantes, essayez le marcottage. Cette méthode consiste à courber jusqu'au sol et enterrer une des tiges de la plante jusqu'à ce qu'elle prenne racine, mais sans la séparer de la plante mère. Lorsque les racines sont apparues, il suffit alors de couper le « cordon ombilical » pour obtenir un nouveau plant. Le marcottage se pratique plutôt au printemps. Vous couperez le « cordon ombilical » environ 6 mois plus tard, en automne.

En pratique, cette technique est souvent appliquée aux plantes grimpantes comme la glycine, la passiflore ou le chèvrefeuille. Courbez jusqu'au sol une tige souple que vous débarrasserez de ses feuilles sur environ 30 cm. Vous pratiquerez ensuite avec un rasoir quelques entailles au niveau des feuilles que vous venez d'enlever. Enterrez cette partie de la tige à une dizaine de centimètres de profondeur, en prenant garde d'en laisser l'extrémité ressortir de terre. Ce mouvement n'étant pas très naturel, vous utiliserez une épingle à cheveux ou un trombone replié qui maintiendra la marcotte bien en place. L'extrémité de la tige, qui se trouve à l'air libre, sera pour sa part attachée à un tuteur.

La division

Certaines plantes (par exemple, celles à bulbes) s'étendent naturellement. Si cette multiplication naturelle devient visible, vous pouvez déterrer la plante et la « diviser », c'est-à-dire la couper en deux parties (parties comportant chacune tiges et racines) que vous replanterez séparément. Vous obtiendrez ainsi un nouveau plant. Au passage, vous éliminerez les racines trop dures ou noires. Faites de même pour les tiges, dont les plus abîmées ou les plus âgées seront éliminées. Comme pour toute nouvelle plantation, vous arroserez copieusement pendant les jours qui suivent.

Où trouver les bonnes graines

Semer est une activité passionnante pour qui sait se montrer un tantinet patient. Les graines que vous trouverez dans le commerce ne sont pas à proprement parler des produits bio : elles sont souvent traitées, voire couvertes de fongicides pour être mieux conservées et donner des semis plus résistants. Par ailleurs, le commerce des graines restant somme toute un commerce, on vous proposera des graines portant la mention « hybride F1 », présentées comme le *nec plus ultra* de la graine. N'en achetez pas : outre le fait qu'elles coûtent plus cher, ces graines présentent l'inconvénient majeur de devoir être rachetées tous les ans. Il faut bien faire tourner la machine de l'industrie horticole... Vous ne pourrez en effet pas ressemer vos plantes à partir d'une hybride F1 : elles sont soit stériles, soit elles ne retiennent que les caractéristiques d'une seule des plantes mères.

Préférez donc plutôt les graines que vous « ferez » vous-même ou fournissez-vous auprès d'un ami charitable et jardinier, qui se fera sûrement un plaisir de vous dépanner... Sinon, vous en achèterez dans une graineterie, en prenant garde à ne pas acheter d'espèces hybrides.

« Faites » vos graines vous-même

Pour semer bio (et sans vous ruiner !), récupérez donc plutôt les graines de vos plantes. Souvent, elles sont contenues dans des organes qui sèchent à maturité. Vous pouvez alors les laisser sécher ou les cueillir avant de les faire sécher la tête en bas en les suspendant dans un endroit sec et aéré. Vous n'aurez plus qu'à secouer les fruits pour en récolter les graines.

Pour choisir les légumes dont vous garderez les graines, sélectionnez toujours ceux qui sont apparus en premier sur la plante. Pour les fruits dont les graines sont contenues dans la chair, comme les tomates ou les courgettes, vous pouvez laisser sécher les fruits en les mettant au soleil puis en enlever les graines. Mon compost est recouvert de plants de tomates et de pommes de terre, suite inattendue mais prévisible de légumes que j'avais jetés quelques mois auparavant.

Comment bien semer vos jolies petites graines

Il y a deux façons de semer. Vous pouvez d'abord mettre la graine dans un petit pot rempli de terreau « spécial semis » que vous garderez à l'abri, au frais et à la lumière jusqu'à ce qu'elle devienne un petit plant. Celui-ci sera ensuite replanté dans un pot plus grand, puis mis en terre. L'autre possibilité (qui me convient mieux) consiste à semer directement en pleine terre, au printemps. Devinez quelle option préférera une vraie paresseuse ?

Cela dit, semer en pleine terre n'est pas uniquement une solution de facilité et présente aussi quelques avantages objectifs : cela permet notamment de sélectionner les plantes les plus résistantes et évite d'abîmer les racines des jeunes plants lors des rempotages et de la mise en pleine terre.

Voilà comment procéder : vous commencerez par enlever de la terre les pierres et les cailloux qui pourraient gêner la germination ; vous émietterez ensuite la terre en surface et vous creuserez un sillon de quelques centimètres de profondeur dont vous arroserez le fond juste avant de semer ; ensuite, recouvrez délicatement les graines avec de la terre fine. Les semences doivent être déposées sous une couche de terre faisant deux à trois fois leur épaisseur. Il faut que les graines les plus fines ne soient quasiment pas recouvertes de terre.

Il est toujours surprenant de voir à quel point les graines poussent parfois de façon anarchique : certaines, plantées en avril, sortent de terre 6 mois après !

Non aux produits phytosanitaires de synthèse !

Étant respectueuse de l'environnement, vous n'utiliserez pas de produits phytosanitaires de synthèse, lesquels contiennent notamment des pesticides. Ces produits destinés à lutter contre les mauvaises herbes, les insectes et les champignons participent à la dégradation des eaux, les stations d'épuration ne sachant pas traiter ce type de pollution. Les cours d'eau et les nappes phréatiques se trouvent donc durablement pollués. Et tout le monde en profite puisque les pesticides se disséminent tout le long de la chaîne alimentaire. C'est ainsi qu'un Français en trouve chaque année en moyenne 1,5 kg dans son alimentation...

À proscrire encore plus absolument, les traitements « totaux », qui associent insecticides et fongicides : ils ne répondent à aucun diagnostic précis et éradiquent tout ce qu'ils trouvent sur leur passage. Or, le jardinage écolo repose sur l'idée que les insectes, les oiseaux et les mauvaises herbes participent eux aussi de l'équilibre du jardin. Un produit « multi-usages », par exemple, élimine au passage les abeilles – ce qui compromet la pollinisation et la reproduction de vos fleurs.

Désherbez « bio »

Avoir des pissenlits et des orties plein son jardin n'est certes pas une fin en soi. Néanmoins, gardez à l'esprit que, d'un point de vue bio, les mauvaises herbes participent elles aussi à la bonne santé de ce petit espace vert ! Il est d'ailleurs recommandé de laisser un bout de jardin en friche, pour les laisser se développer. Ces plantes sont par définition adaptées à la région où vous vivez et à votre terre et elles formeront de ce fait un coin de « jungle » locale dans votre jardin. Vous verrez se développer une flore inattendue, qui attirera de nombreux insectes et oiseaux... Car, un jardin, c'est avant tout un endroit où la vie doit pouvoir se développer.

DES PLANTES RICHES EN NECTAR

Pour attirer les insectes pollinisateurs, il vous faudra avoir quelques plantes mellifères, c'est-à-dire riches en nectar. Elles plaisent aux abeilles, qui favoriseront la reproduction de vos fleurs. Sans parler des papillons, eux aussi sensibles à ce genre de détail ... À titre d'exemple, le thym, le serpolet, la menthe, la lavande, la marjolaine, l'hysope, le romarin, la sauge et les arbres fruitiers nains sont des plantes mellifères.

Pour le reste de votre terrain que vous souhaitez désherber, vous utiliserez des moyens non chimiques qui ont fait leurs preuves. Par exemple, vous pouvez recouvrir la terre d'un film en plastique noir, de cartons, de bouts de moquette, etc. Privées de lumière, les plantes indésirables disparaîtront d'elles-mêmes. Une autre méthode consiste à « pailler » les végétaux que vous avez plantés. Vous mettrez autour de leur pied de la paille, du lin ou des déchets de tonte. Cette espèce de couverture végétale évite l'apparition des mauvaises herbes au pied de vos plantes.

Sinon, rien ne vaut l'« huile de coude » et le binage de votre jardin : biner régulièrement et arracher ensuite les mauvaises herbes avec leurs racines est une méthode qui marche ! Pour celles qui redoutent les efforts physiques, un truc que je tiens de ma grand-mère : l'eau de cuisson de pommes de terre constitue un désherbant redoutablement efficace et 100 % naturel. Il suffit de récupérer l'eau de cuisson de pommes de terre et de la pulvériser ensuite sur les herbes que vous voulez supprimer. Dans le même esprit, l'eau bouillante versée directement sur les plantes est aussi un très bon désherbant.

Luttez « bio » contre les insectes

Pucerons, limaces, larves diverses, chenilles... même dans un petit jardin les insectes s'en donnent à cœur joie. Pour lutter « bio », vous disposez de divers moyens (sachant que, là encore, il ne s'agit pas d'utiliser les phytosanitaires synthétiques !).

Il existe deux traitements bio, d'origine végétale : la roténone et les pyréthrines. Fabriqués à base de molécules extraites de fleurs et de racines, ils ont l'avantage d'être biodégradables. (Soyez vigilante et lisez bien les étiquettes : si votre produit est bio, il doit contenir de l'huile de pin comme excipient et non pas des produits chimiques.) Ils sont le plus souvent présentés sous forme liquide, que vous devrez ensuite diluer. Ils frappent un peu tous azimuts : pucerons, araignées rouges, fourmis, mouches, chenilles, etc.

Pour faire le traitement, choisissez le bon moment : tôt dans la matinée ou en début de soirée. Vous pulvériserez la solution directement sur les insectes et sous les feuilles des plantes, en réglant votre pulvérisateur de façon à obtenir la pulvérisation la plus fine possible.

Contre les pucerons, réhabilitons le tabac !

Ce petit insecte qui ne se déplace jamais sans de très nombreux copains deviendra vite votre bête noire, ceci dit avec un très mauvais jeu de mots. Mais il se trouve qu'il n'aime pas le persil : profitez-en pour planter quelques pots de persil autour des végétaux les plus sensibles aux pucerons, comme les rosiers ou les capucines.

Si l'infestation n'est pas trop importante, déposez des larves de coccinelles près des colonies au printemps. En été, utilisez les larves de chrysopes. Vous les trouverez dans le commerce bio. S'ils sont déjà là et bien là, vous pouvez essayer la macération de tabac : faites tremper un paquet de tabac dans 10 litres d'eau pendant 10 jours. Filtrez, puis vaporisez la préparation sur les insectes. Ils se dessécheront à cause de la nicotine, qui est un très bon insecticide. Répétez le traitement plusieurs fois.

Piégez limaces et escargots

Mettez de la cendre de bois ou du sable fin, irritants pour les gastéropodes, sur le sol autour des plantes et du jardin. Un autre truc, bien connu des jardiniers : déposez de la bière éventée dans des assiettes légèrement enfouies dans le sol ou des boîtes de conserve au niveau du sol, à la périphérie du jardin ; ils seront attirés et se noieront. Videz les pièges chaque matin et répétez l'opération.

Des répulsifs 100 % bio pour tous les insectes

Le piment fort

Mettez à macérer 250 mg de piment fort dans 500 ml d'eau pendant 24 h. Diluez 15 ml de la préparation dans 4 litres d'eau avant de l'appliquer. Faites attention néanmoins à ne pas pulvériser sur de jeunes plants : ils risqueraient de ne pas apprécier !

L'eau savonneuse

C'est un très bon répulsif contre les insectes. Diluez 30 ml de savon ou de produit vaisselle dans 4 litres d'eau. Ajoutez 1/4 de litre d'alcool à 70°, puis vaporisez immédiatement. Rincez bien les plantes avant que les feuilles ne sèchent.

Pour les plus motivées : des solutions phytosanitaires *home made*

Pour fabriquer ces produits, utilisez de préférence de l'eau de pluie, l'eau du robinet contenant du chlore. Et choisissez des récipients qui ne sont pas en métal.

COMMENT LES UTILISER ?

Une fois la solution obtenue, vous la diluerez éventuellement avec de l'eau et vous rajouterez toujours un verre de lait au liquide avant les pulvérisations. Ces préparations doivent être utilisées rapidement, car vous ne pourrez pas les conserver plus de quelques semaines (pour les solutions concentrées).

Vous renouvellerez le traitement à trois reprises au minimum, en laissant 2 ou 3 jours entre chaque pulvérisation.

Contre tous les insectes

L'eucalyptus, le poivre, le basilic : vous pouvez utiliser au choix une de ces trois plantes pour en faire une infusion destinée à lutter contre les insectes. La méthode est toujours la même : laissez infuser pendant 30 mn 150 g de plante grossièrement broyée dans 5 litres d'eau bouillante ; filtrez, laissez refroidir et pulvérisez tel quel sur les plantes.

Les insecticides-fongicides : ils permettent de lutter contre les chenilles, les asticots, les acariens, les escargots, la rouille et les maladies causées par certains champignons.

L'ail : broyez grossièrement 150 g d'ail que vous laisserez ensuite infuser dans 5 litres d'eau bouillante pendant 30 mn ; filtrez ensuite, puis laissez refroidir. Vous pouvez pulvériser le liquide obtenu directement sur les plantes.

Contre les insectes, d'autres insectes

Du point de vue de l'horticulture bio, il n'y a pas à proprement parler de nuisibles. On considère en effet que chaque espèce joue un rôle spécifique dans la chaîne biologique : les perce-oreilles, par exemple, qui mangent les feuilles des plantes, sont aussi les prédateurs d'autres insectes ; à ce titre, ils jouent un rôle bénéfique dans le jardin. On appelle donc « auxiliaires » ces animaux et insectes dont l'intervention est utile dans un jardin (ce qui ne les empêche pas toujours d'être nuisibles sous d'autres aspects).

Contrairement aux insecticides chimiques qui ont l'inconvénient majeur de s'attaquer sans discernement à tous les insectes, les auxiliaires naturels ont des proies ciblées. Vous les trouverez dans les jardineries et certains magasins bio.

Les coccinelles : les larves de coccinelles apprécient les pucerons, dont elles dévorent des quantités !

Les chrysopes : les larves de chrysopes mangent elles aussi des centaines de pucerons.

Les carabes : ce sont des coléoptères que vous reconnaîtrez à leur carapace aux reflets verts. Ils sont particulièrement utiles au jardin, puisqu'ils consomment limaces, chenilles et larves. Ils aiment se cacher sous les pierres, dans les endroits humides, et ne sortent que la nuit.

Les perce-oreilles : souvent considérés comme nuisibles, ils sont pourtant aussi de bons auxiliaires. Ils se nourrissent de déchets organiques, d'insectes et de pucerons.

Les remèdes naturels de vos plantes

Les maladies du jardin sont essentiellement dues à des champignons. Voici les principales :

Le blanc (oïdium) : il attaque les feuilles qui se tachent de petits points blancs. Ceux-ci vont ensuite former une espèce de large feutrage grisâtre. Un conseil : lorsque vous arrosez, évitez d'asperger le feuillage des plantes.

Le mildiou : de petites taches blanches apparaissent sur la surface des feuilles. Le dessous des feuilles s'orne, quant à lui, de taches brunes. Les feuilles se dessèchent.

La pourriture grise : ce champignon parasite se développe lorsque le temps est très humide. Un feutrage grisâtre apparaît et se développe jusqu'à former de grosses taches foncées.

La rouille : vous reconnaîtrez une plante atteinte de la rouille aux pustules foncées qui se trouvent sous les feuilles.

La fumagine : cette « suie » noire recouvre les feuilles des plantes malades (rosiers, rhododendrons, camélias, lauriers). Vous nettoierez d'abord la plante à l'eau tiède pour faire disparaître ces traces noires. Mais le seul vrai remède consiste à supprimer les insectes qui provoquent l'apparition de ce champignon, à savoir essentiellement les pucerons et les cochenilles.

Jardiner « écolo » = arroser moins

Le jardinage bio préconise en effet de faire appel le moins possible à l'eau de ville pour se contenter de l'eau tombée du ciel, gratuite et naturelle. Respecter cette recommandation implique de choisir des plantes qui correspondent au climat de votre région. Les végétaux sudistes s'adaptent bien à la sécheresse, alors que leurs collègues du Nord exigent un arrosage constant et régulier. Dans ces conditions, il est cohérent de vous orienter vers des plantes qui correspondent à l'ensoleillement et la pluviométrie de l'endroit où vous habitez. Vous pourrez ainsi réduire l'arrosage nécessaire.

Les maraîchers bio pratiquent le paillage pour ne pas avoir besoin d'arroser leurs plantes. Cette technique, dont j'ai parlé plus haut, consiste à mettre au pied des plantes une sorte de couverture végétale qui limite l'évaporation de l'eau du sol. Pour pailler, vous pouvez utiliser des restes de tonte de pelouse, des feuilles mortes, du compost, des mauvaises herbes broyées, des granulés de bois... Il faut attendre que les plantes aient atteint environ 5 cm de hauteur pour commencer à les pailler.

N'oubliez pas : il faut arroser le sol copieusement et en profondeur juste avant de poser un paillis. Cette technique permet de se passer totalement d'arrosage, si du moins vous vivez dans une région au climat tempéré.

DES CONSEILS FACILES POUR ÉCONOMISER L'EAU

— Récupérez l'eau de pluie. Vous pouvez placer dans votre jardin des bacs ou des citernes destinés à recueillir l'eau de pluie. Vous en trouverez facilement dans n'importe quel magasin de jardinage ou de bricolage. Cette eau vous servira bien sûr à arroser vos plantes.

— Ne tondez pas trop souvent votre gazon ! Lorsqu'il est un peu plus haut, il devient plus résistant à la sécheresse et demande moins d'arrosage.

— L'été, arrosez plutôt le soir, pour éviter que l'eau s'évapore sous l'effet du soleil.

— Binez ! Le binage permet d'aérer la terre et de drainer l'eau jusqu'aux racines des plantes. Lorsqu'il a beaucoup plu, vous vous précipiterez sur vos outils de jardinage pour biner autour de vos plantes. Comme dit un vieux proverbe bio : « Un binage vaut deux arrosages ! »

Les engrais naturels

Pour avoir de belles plantes, il faut bien les nourrir ; ce qui revient à dire qu'il faut vous occuper un tant soit peu du sol de votre jardin, leur principal pourvoyeur d'éléments nutritifs. Mais vous l'avez certainement compris : il n'est pas question pour autant de fertiliser votre jardin avec des engrais industriels...

Pour pousser, les plantes ont besoin de trois éléments : l'azote, indiqué par sa désignation chimique (N), le phosphore (P) et le potassium (K).

L'azote permet le développement de la tige et des feuilles. Si vos plantes en manquent, elles seront pâlichonnes et lentes à pousser. Le phosphore, quant à lui, assure le bon développement des racines et favorise la résistance aux maladies. Il aide aussi la formation des graines et des fleurs. Le potassium permet aux plantes de lutter contre les maladies. Il favorise la croissance des racines et des bulbes et donne de la couleur aux fleurs.

Les engrais bio

Il existe des engrais bio d'origine animale en vente dans les jardineries. Citons parmi ceux-ci le guano, riche en azote et en phosphore, le sang desséché de volaille et la corne broyée.

Les arêtes de poisson

Cet engrais bio est riche en phosphore, puisqu'il est constitué à 25 % de cet élément. Il a en outre l'avantage d'être une espèce d'engrais universel, qui convient à tous les végétaux.

Les fertilisants bio faits maison (pour les plus motivées)

Vous pouvez faire vous-même vos propres engrais à base de plantes. On utilise pour cela deux espèces : l'ortie et la consoude, dont on fait des « purins ». Ces produits très efficaces et 100 % bio ont un petit inconvénient : ils dégagent une forte odeur. Vous leur réserverez donc un coin du jardin, si possible éloigné de la maison. Pour ce faire, vous ferez usage d'un récipient en plastique qui pourra ensuite être nettoyé facilement. Pour toute préparation de ce type, l'eau de pluie est toujours préférable à l'eau du robinet, que vous pouvez toutefois utiliser faute de mieux.

L'ortie

C'est une plante riche en azote, en potassium, en micro-organismes et en oligo-éléments. Elle stimule la croissance des plantes et les rend plus résistantes aux pucerons et aux acariens, au mildiou, à la rouille, à l'oïdium. On s'en sert aussi pour mettre en route le compost.

Le purin d'ortie

Prenez 1 kg d'ortie, que vous hacherez grossièrement avant de le mettre à macérer dans 9 litres d'eau. Couvrez le récipient et remuez une fois tous les 2 jours pendant 2 semaines. Une fois ce délai passé, si vous constatez qu'il n'y a plus de bulles, vous filtrerez, puis vous diluerez avec de l'eau en comptant 1 mesure de purin pour 4 mesures d'eau : le purin d'ortie ne doit pas être utilisé tel quel, car il risque de brûler les plantes.

Vous pouvez vous servir de cette solution pour arroser pendant 1 semaine sur 2 et au moment des plantations.

Que cultiver dans un jardin bio ?

Des herbes aromatiques...

Vous pouvez les planter dans votre jardin ou en pots, si vous ne disposez que d'un balcon ; il faut semer le basilic, le cerfeuil, l'aneth, le persil, la coriandre directement en terre au printemps. Vous tracerez quelques sillons de 1 m de long, que vous remplirez de terreau. Vous prendrez soin d'espacer chaque sillon d'une trentaine de centimètres. Chacun d'entre eux sera consacré à une seule espèce de plante. Au moment du semis, vous tasserez les graines au moyen d'une petite planche.

La sarriette, l'estragon, le thym, la verveine, la sauge, le fenouil doivent être plantés de la façon suivante : un plant suffit, et chaque plant doit être séparé des autres par une distance de 50 cm.

À savoir : la menthe doit être plantée à part, si possible dans le coin « sauvage » de votre jardin. Cette plante a en effet une tendance naturelle à coloniser ses collègues et à ne pas supporter la culture en pot. Vous prendrez donc soin de la placer à un endroit où elle ne risque pas de gêner.

... et aussi des plantes médicinales

Vous pouvez aussi mettre dans votre jardin des plantes médicinales, qui sont souvent d'ailleurs aussi des plantes aromatiques dont vous vous servirez en cuisine.

Le basilic

Pour soigner, on utilise essentiellement les tiges fleuries de la plante, qui ont des propriétés antispasmodiques, antiseptiques, digestives et laxatives. L'infusion de « pistou » agit sur les troubles gastriques. Par ailleurs, elle favoriserait la montée de lait chez les jeunes mères.

Le cassis

Grâce à la qualité de la vitamine C qu'il contient, le jus de cassis stimule la résistance aux infections. Les baies de cassis peuvent être utilisées dans la prévention et le traitement de la couperose, de la fragilité des petits vaisseaux sanguins et pour les sensations de jambes lourdes.

L'hamamélis

La feuille d'hamamélis possède des propriétés toniques veineuses, astringentes et vasoconstrictrices importantes, qui facilitent et régularisent la circulation sanguine.

Le laurier

On recommande l'infusion de feuilles de laurier pour faciliter la digestion.

Attention ! il ne faut pas le confondre avec d'autres arbres portant également le nom de *laurier*, comme le laurier-tin et le laurier-cerise, qui contiennent des substances toxiques, ou encore le laurier-rose, qui est un poison.

La lavande

Elle est utilisée sous forme d'huile essentielle, qu'il vaut mieux acheter que faire soi-même : le procédé est bien trop complexe à mettre en œuvre. Rien ne vous empêche pourtant de planter de la lavande et d'en faire des sachets à mettre dans vos armoires pour parfumer le linge.

La mélisse

L'infusion de mélisse peut être utilisée pour nettoyer et tonifier la peau du visage. Les feuilles fraîches calment les démangeaisons dues aux piqûres d'insectes et, une fois sèches, elles peuvent éloigner les mites.

La menthe

Une infusion de menthe permet de bien digérer.

La myrtille

La myrtille renforce les tissus veineux et exerce une action contre les troubles de la circulation sanguine. Les baies fraîches sont recommandées notamment pour lutter contre la diarrhée.

L'ortie

L'infusion d'ortie est utilisée contre les rhinites et les sinusites allergiques, l'arthrite, la goutte, la bronchite.

Pour vous frictionner le cuir chevelu, vous pouvez faire votre propre lotion capillaire à base d'ortie, en mélangeant 50 g de racines d'ortie et 50 g de romarin que vous laisserez macérer dans 1 litre d'eau-de-vie pure.

Le romarin

Le romarin stimule la circulation sanguine, le système nerveux et les voies digestives. Il est également diurétique.

La sauge

Si vous avez un rhume et des maux de gorge, vous pouvez prendre de la sauge en infusion, avec du miel. Elle est aussi légèrement diurétique et combat les transpirations excessives.

Attention ! à haute dose, elle est toxique et peut être nuisible au système nerveux central. Pour cette raison, il est conseillé de ne pas en consommer si vous êtes enceinte.

Le thym

C'est un très bon désinfectant. Vous pouvez en prendre en infusion pour combattre le rhume et la grippe.

La verveine

La récolte de la verveine s'effectue juste avant la floraison. On la réunit en bouquets, que l'on suspend dans des endroits secs et aérés. Une infusion de verveine permet de mieux dormir et de mieux digérer, comme vous l'a sûrement déjà dit votre maman.

1. Repérez les jolies plantes qui poussent « toutes seules » !

Des plantes qui se passent très bien de l'intervention de l'homme sont intéressantes justement pour cette raison ! En vous promenant, ouvrez l'œil et faites votre choix. Prenez une tige de la fleur qui vous plaît pour tester la bouture.

2. Récoltez les graines des plantes

Ouvrez l'œil et trouvez les bonnes graines dès que vous en avez l'occasion, que ce soit dans votre jardin, dans celui des autres ou dans la nature...

3. Faites sécher vos petites graines

Les graines récoltées doivent toujours être séchées. Vous les conserverez dans des sacs en papier kraft ou dans des récipients opaques et les garderez au frais (à 10 °C environ) pour qu'ils durent plus longtemps.

4. Profitez des fleurs les plus raffinées !

Les graines des magnifiques roses trémières sont très faciles à trouver : quand les fleurs sont fanées, il se forme une sorte de capsules en haut de la tige. Attendez qu'elles soient bien sèches avant de les cueillir, puis récupérez les graines qui sont à l'intérieur.

5. Apprenez à bien semer vos graines

Vous pouvez utiliser des petits pots en tourbe, biodégradables : de cette façon, vous n'aurez pas à dépoter la plante pour la mettre en terre.

6. Aidez les oiseaux à passer l'hiver

Disposez de la nourriture dans une soucoupe prévue à cet effet. Les oiseaux apprécient la graisse comme le beurre ou le blanc du jambon, les pommes de terre cuites, le riz cuit (jamais cru car ils s'étoufferaient) et les graines de tournesol.

7. Faites attention aux insecticides, même naturels

Utilisés à trop forte dose, ils peuvent être toxiques, notamment pour les vers de terre. Ils tuent aussi les insectes auxiliaires comme les coccinelles.

8. Mettez les mains à la terre

Lorsque vous le pouvez, enlevez les insectes ou les larves à la main (cocons et œufs de chenilles, pucerons...).

9. Piégez les indésirables

Posez des rubans ou des anneaux de glu sur les lieux de passage des insectes indésirables : sur le tronc des arbres, par exemple. On en trouve dans toutes les jardineries.

10. Cultivez les bonnes associations de plantes

Mettez dans votre jardin des plantes qui éloignent les pucerons, comme les œillets d'Inde, la menthe, le thym, la sarriette...

11. Lancez-vous dans la bouillie bordelaise *home made*

Un remède de mamie qui a fait ses preuves pour lutter contre les champignons : la bouillie bordelaise, un fongicide à base de cuivre. Ça tombe bien, c'est aussi un fongicide « chimique » agréé « bio » ! Vous pourrez donc l'utiliser, en respectant les consignes.

12. Luttez « bio » contre le blanc et le mildiou

Essayez la recette suivante : laissez infuser pendant 30 mn 150 g de ciboulette grossièrement broyée dans 5 litres d'eau bouillante, puis filtrez ; laissez ensuite refroidir et pulvérisez le liquide obtenu directement sur les plantes.

13. Paillez le pied de vos plantes

Cela permet de conserver l'humidité de la terre et vous épargne de fréquents arrosages.

14. Lancez-vous dans la confection d'un purin d'ortie

Voici un truc : pour mettre les plantes à macérer, placez-les dans un sac en coton. Une fois le purin fait, cela vous évitera la tâche désagréable d'avoir à le filtrer.

15. Ne perdez pas une occasion de cultiver votre jardin

Lorsque le temps le permet, même si vous ne le faites qu'un quart d'heure par jour : vous serez étonnée de constater à quel point cela détend !

chapitre 4

Comment se déplacer « vert » et se muscler
les jambes sans les user

Qui sont les grands responsables des émissions de gaz à effet de serre et du réchauffement de la planète ?

L'agriculture, l'industrie et les transports représentent à eux seuls 26 % des émissions françaises de gaz à effet de serre. Et contrairement à ce que l'on pourrait croire, ce ne sont pas les camions des sympathiques routiers qui polluent le plus, mais bien les véhicules des particuliers (vous, moi, les autres).

Les autres conséquences de la combustion de carburant, qui dispersent dans l'atmosphère de nombreux toxiques chimiques, ne sont pas plus réjouissantes : la voiture, l'avion provoquent aussi les pluies acides et l'amincissement de la couche d'ozone. Autant dire que les transports (et donc votre automobile bien-aimée) gagnent sur toute la ligne en matière de pollution aérienne. Et ce n'est pas près de changer, puisque le secteur des transports est celui où les émissions de gaz à effet de serre augmentent le plus. Le parc automobile mondial, qui compte aujourd'hui 700 millions de véhicules, devrait passer à 1,2 milliard en 2020...

Il s'agit donc d'avoir un rapport différent à l'objet « voiture » et de repenser complètement son utilisation. Par exemple, il est possible de conduire sans être soi-même propriétaire d'une automobile. Des systèmes comme le covoiturage ou l'auto-partage, très largement mis en place dans certains pays, permettent de concilier les deux. Mais pour cela, il faut renoncer à la propriété automobile, sacro-sainte dans l'Hexagone...

Pour vos petits trajets

Limitez la voiture

20 % de nos déplacements en voiture ne dépassent pas 1 km ! Voilà un chiffre étonnant : franchement, qu'est-ce qui justifie de prendre le volant pour de si courtes distances ? Le temps gagné ? Pas sûr du tout. Le quart d'heure passé à

tourner en quête d'une place de parking, arrivé à destination, fait largement perdre les quelques minutes d'avance acquises. Non seulement vous perdez du temps et de l'argent en prenant votre voiture pour aller chercher le pain, mais encore vous polluez davantage : une voiture consomme entre 50 et 80 % de carburant supplémentaires au premier kilomètre, et entre 25 et 50 % supplémentaires au deuxième. Et les gens qui se déplacent en ville en voiture ne parcourent pas plus de 3 km dans la moitié des cas... Réfléchissez : si vous êtes dans ce cas, est-il vraiment utile de prendre le volant ?

Pour vos petits trajets (emmener les enfants à l'école, faire des courses en ville, sortir le soir si vous êtes vous-même une souris des villes, aller acheter le pain, vous rendre au bureau si vous n'habitez pas à 10 km de votre lieu de travail), ne prenez plus la voiture ! Entre les bouchons, les places de parking introuvables, le racket des parcmètres et les amendes que l'on ne manque jamais de récolter, vous gagnerez en sérénité à vous déplacer autrement. Car conduire dans ces conditions est non seulement polluant, mais aussi épuisant.

Il existe plusieurs alternatives si du moins vous habitez en ville. Vous pouvez vous déplacer à pied (le moins cher, mais le plus long), à vélo (le plus rapide et le plus satisfaisant) ou en transports en commun (quand il pleut, par exemple). Certaines adoptent le roller, mais cette solution me semble plus compliquée à mettre en œuvre : faire ses courses ou se rendre à un rendez-vous d'affaires rollers aux pieds exige d'avoir un certain sens de la performance...

Personnellement, j'ai investi dans un vieux biclou acheté 10 euros chez Emmaüs (l'antivol m'a coûté plus cher !), qui me suffit amplement pour me déplacer en ville, notamment le soir. Lorsque je fais des courses, qu'elles ne rentrent pas dans mes sacoches, et que je n'ai aucune envie de les porter à bout de bras pour rentrer chez moi, je prends tout simplement le bus ou le métro. *Idem* lorsqu'il pleut.

JOUONS UN PEU

Pour parcourir 3 km en ville, il faut en moyenne...
— à pied : 36 mn ;
— à vélo : 12 mn ;
— en voiture (sans bouchon, avec des places de parking disponibles) : 7 mn ;

— en voiture (avec bouchons et peu de places de parking) : 27 mn ;

— en bus (trafic fluide) : 7 mn ;

— en bus (bouchons) : 18 mn.

4 bonnes raisons de dire non à la voiture

Pour inverser la tendance en matière de consommation automobile, il faut s'attaquer à la base du problème : est-il vraiment indispensable d'avoir une voiture ? Non, pas nécessairement. Voici pourquoi :

1. Parce que c'est cher

Vous en avez certes une vague intuition ; votre voiture, c'est un peu votre danseuse. Entre la dernière révision, le changement du pot d'échappement complet et le contrôle technique, vous avez senti comme un coup de mou dans vos finances. Ceci dit, vous auriez du mal à évaluer exactement le coût de votre auto chérie. Pour évaluer votre budget « voiture » annuel, en dehors de l'achat proprement dit, vous devez tenir compte des frais :

— d'assurance ;

— de carte grise ;

— d'entretien ;

— de contrôle technique ;

— de carburant ;

— de péages ;

— de stationnement ;

— de dépréciation du véhicule (dont vous aurez une idée en regardant la cote à l'Argus).

QUELQUES CHIFFRES

Selon le type de véhicule que vous possédez et à condition que vous rouliez 15 000 km par an, vous dépensez entre 260 et 730 € par mois. Selon l'INSEE, les Français en moyenne dépensent pour leur voiture 430 € par mois. Et la part des transports dans le budget familial est d'environ 16 %, au même niveau que l'alimentation et juste après le logement (22 %).

2. Parce que l'usage que vous en faites ne justifie pas forcément que vous en possédiez une

Rappelons que 40 % des déplacements font moins de 2 km et que le taux d'occupation des voitures en France est de 1,1 personne...

3. Parce que ça pollue

En France, une automobile parcourt en moyenne 14 000 km par an. Pour une petite voiture à essence, à la campagne (sans embouteillages), la production de CO_2 sera d'environ 0,8 tonne, en tenant compte de la fabrication de la voiture et des émissions du raffinage de l'essence. Pour une grosse voiture, en zone urbaine, la production de CO_2 sera d'environ 2 tonnes. Celle qui prend le RER quotidiennement pour aller travailler (60 km par jour) produit seulement 35 kg de CO_2 – soit 20 à 30 fois moins que celle qui prend le volant, toute seule dans sa petite auto.

4. Parce qu'on commence à pouvoir vraiment s'en passer

Bien sûr, il y a les transports en commun qui permettent de se déplacer en ville. Mais pour se rendre à un rendez-vous professionnel au fin fond de la zone industrielle de Conche-en-Ouche, prendre le bus tient du jeu-concours. Dans ce cas de figure, il faut nécessairement une voiture. Le système de l'auto-partage, qui existe depuis 6 ans dans certaines villes de France, permet justement d'avoir accès à une voiture sans en posséder une. Covoiturage et auto-partage : pour les longs trajets, les systèmes alternatifs existent et commencent à se développer.

À vélo, dans Paris...

On dépasse les autos, comme disait le chanteur – ce qui constitue en soi une vraie source de joie. Sans parler de l'argent et du temps économisés, notamment pour se garer.

Si vous voulez acheter un vélo, il faut prendre en compte différents éléments et notamment l'usage que vous comptez en faire. Inutile d'investir une somme conséquente dans un vélo haut de gamme si vous souhaitez seulement vous en servir pour de petits déplacements ponctuels en ville. Il risquerait de susciter des tentations, et se faire voler une bicyclette neuve n'a pas le même effet psychologique et financier que de se faire voler un vieux clou acheté en foire à tout. Acheter un vélo neuf ne s'impose donc pas. Si vous savez que vous allez devoir attacher votre vélo dans la rue, évitez même totalement cette option. Et faites une croix sur le fait de circuler en VTT ! Ce genre d'engin est une sorte d'appel au vol sur roues. Préférez donc un bon vieux clou basique, sans rien de remarquable. Les vide-greniers, Emmaüs, les dépôts-ventes en proposent souvent de très honorables à des prix défiant toute concurrence.

Plus que sur le vélo lui-même, il vous faudra investir sur un bon antivol. Les pros du deux-roues sont formels : seuls les U sont fiables. Exit donc les câbles, qu'ils soient en spirale ou non, de petit ou de gros diamètre. En venir à bout en quelques secondes est un jeu d'enfant, comme j'ai pu m'en rendre compte moi-même le jour où j'ai perdu la clé de mon antivol. Les pythons et les chaînes ne sont pas beaucoup plus performants. Seul le U, donc, trouvera grâce à vos yeux... même s'il vous coûtera entre 40 et 70 euros.

À savoir : achetez-le muni d'un support à fixer sur le vélo – ce qui vous évitera de le mettre dans votre sac. Le U est en effet peu pratique à ranger lorsqu'il ne sert pas d'antivol ! Et bannissez le U pendouillant au guidon ou à la tige de selle si vous ne voulez pas voir vos gambilles se couvrir de bleus fort peu esthétiques...

Attachez toujours le cadre du vélo à un élément fixe (poteau, barrière...). Pensez à attacher les roues si elles sont amovibles, surtout la roue avant qui est plus facile à dégager.

Et toujours, privilégiez les transports en commun

1. Parce que faire le trajet Paris-Nice en train plutôt qu'en avion permet de rejeter 14 fois moins de gaz carbonique. Pour vos longs trajets, le train est le moins polluant des moyens de transport.

2. Parce que prendre le bus plutôt que la voiture permet à chacun de diviser par 3 ses rejets de gaz carbonique. La voiture fait souvent oublier certaines réalités, à savoir qu'il existe en milieu urbain des bus, des trams, des métros, accessibles à tous, à l'heure et conçus pour bien rouler en ville. Je suis toujours étonnée que les gens motorisés n'aient plus du tout le réflexe de prendre les transports collectifs. Une amie dont le fils devait marcher 30 mn pour aller au collège s'est ainsi imposée pendant 3 mois de l'y amener chaque matin en voiture... avant de se rendre compte qu'un bus pouvait l'y amener tout aussi bien.

Pour les longs trajets

L'auto-partage : conduire sans avoir une voiture

Réfléchissez : combien de kilomètres faites-vous par an ? combien de temps votre voiture reste-elle au parking ? sur 1 semaine, combien de fois prenez-vous le volant ? et combien dépensez-vous par mois juste pour le plaisir d'avoir votre voiture bien à vous ? Si vos réponses indiquent que, finalement, avoir une voiture vous revient bien cher pour l'usage que vous en faites, l'auto-partage est une possibilité, à condition que vous habitiez Paris, Strasbourg, Lyon, Grenoble ou Marseille (voir les coordonnées dans « Adresses utiles »).

Ce système, très développé dans d'autres pays comme l'Allemagne ou la Suisse (où il est subventionné par l'argent public), est apparu en France en 1999. Le principe relève du simple bon sens : un groupe de personnes se cotisent pour acheter et entretenir quelques véhicules, lesquels restent à la disposition de tous. En comptant 1 voiture pour 8 personnes, cela permet à chacun de pouvoir rouler lorsqu'il en a besoin, sans pour autant posséder de voiture. Cette idée, très « coopérative », est extrêmement pratique et très écologique puisqu'elle permet de diviser par 8 le nombre de véhicules individuels. L'auto-partage se distingue de la location de voiture par différents points : il est possible de prendre une voiture pour 1 h seulement, alors que la durée minimale de location est de 24 h. Par ailleurs, une fois inscrite, vous n'aurez aucun formulaire à remplir. Vous recevez à la fin du mois la facture correspondant à l'usage que vous avez fait de la voiture.

Si vous êtes intéressée, il vous suffit d'adhérer et de payer un abonnement mensuel. Celui-ci garantit que vous ayez une voiture à disposition lorsque vous en avez besoin, que ce soit pour 1 h ou pour 2 jours. Bien évidemment, les horaires de bureau n'ont pas cours et le système fonctionne quotidiennement, le jour comme la nuit. Vous passez un coup de fil ou vous envoyez un mail pour réserver et vous allez chercher votre « carrosse » à l'endroit prévu. Lorsque vous utilisez la voiture, vous payez en plus un prix au kilomètre parcouru et à l'heure. Ou comment profiter des avantages de l'automobile sans avoir à en supporter les inconvénients (achat, assurance, réparations, etc).

Le covoiturage

Vous vous rappelez le temps pas si lointain, finalement, où, jeune étudiante fauchée, vous passiez par « Allô stop » pour traverser la France sans vous ruiner. Un gentil automobiliste, lui aussi un peu désargenté, vous emmenait dans sa 4-L contre le partage des frais d'essence, et zou ! à vous un Lille-Montpellier en 14 h de route, pauses non comprises. Au passage, vous faisiez connaissance, ou au contraire, non, pas du tout. C'était le bon temps.

Le covoiturage, qui est l'autre nom de l'auto-stop organisé, existe toujours et s'est développé grâce à Internet : maintenant, des sites mettent en relation des passagers et des conducteurs allant au même endroit. Mais les choses ont quelque peu évolué, puisque ces sites organisent désormais aussi les trajets entre la maison et le lieu de travail, en mettant en relation passagers et conducteurs se rendant chaque jour au même endroit. On est donc loin du folklore baba cool de l'étudiante pas encore motorisée voyageant pour pas cher... D'un point de vue écologique, ce mode de transport mérite vraiment d'être utilisé et développé.

Si vous ne pouvez pas vous passer d'une voiture

Quelle voiture choisir ?

Si vous êtes mère de famille nombreuse, si vous avez besoin de vous déplacer de façon autonome pour travailler, la voiture est difficilement évitable. Les constructeurs automobiles commencent à miser sur la protection de l'environnement en mettant au point des modèles moins polluants. Il ne faut pas se leurrer : il s'agit là essentiellement d'une démarche marketing. La voiture « propre » en soi est un concept très discutable, qui peut donner à certains l'occasion de continuer à polluer en toute bonne conscience. Et la seule véritable solution au problème posé par la voiture, c'est pour le moment la réduction drastique du parc automobile.

Petit point sur les polluants liés à l'automobile

Le gaz carbonique

Le gros problème écologique posé par l'automobile, c'est l'émission de gaz carbonique. Car, si le CO_2 n'est pas toxique en soi, il n'en reste pas moins que c'est un gaz à effet de serre... et le principal responsable du réchauffement climatique.

Le monoxyde de carbone ou CO, qui, lui, est un gaz toxique.

Les particules, qui concernent surtout les diesels, sont toxiques pour la santé. On les soupçonne d'être en partie responsables de l'augmentation des maladies respiratoires chez les enfants (la fameuse bronchiolite). Elles sont aussi cancérigènes. Parmi ces particules : les oxydes d'azote ou Nox, qui favorisent la formation de l'ozone (celle qui est à la surface de la Terre, pas celle qui s'amincit dans la stratosphère...). Or, cet ozone-là est très irritant pour l'organisme.

Les hydrocarbures imbrûlés ou HC, qui résultent de la combustion incomplète du carburant et de l'huile, provoquent des irritations et sont cancérigènes.

Alors, diesel ou essence ?

C'est un vieux débat, réactualisé par les questions d'environnement. Premier paradoxe : après avoir été considéré comme nettement plus polluant que les voitures à essence, le diesel serait désormais de retour en grâce, puisqu'il émet en moyenne 20 % de moins de CO_2 qu'une voiture à essence. L'émission de CO_2 étant proportionnelle à la consommation de carburant et un moteur Diesel en consommant moins qu'un moteur à essence, la conclusion est logique. Pour ce qui concerne les gaz à effet de serre, les diesels sont donc un peu moins nuisibles. Ils dégagent aussi moins d'hydrocarbures imbrûlés et moins de monoxyde de carbone que les modèles à essence.

En revanche, ils rejettent davantage d'oxydes d'azote. Le hic écologique qui caractérise le diesel, ce sont les particules nocives émises par le moteur. Une réalité qui a longtemps justifié la mise à l'index écologique du diesel. La donne a changé puisque les véhicules récents sont désormais équipés d'un filtre à particules qui en retient plus de 95 %. Avec cet équipement, les moteurs Diesel ne doivent rejeter en théorie pas plus de particules que les voitures à essence.

Le diesel, donc, pourquoi pas ? à condition que le moteur soit équipé d'un filtre à particules.

Cela dit, ce n'est pas la panacée. Si vous avez déjà une voiture (respectant les normes antipollution) qui vous convient, gardez-la. Si vous songez à investir dans un nouveau « char », en revanche, choisir de rouler au GPL peut être un vrai choix écolo.

Le GPL

Il y a certes de nouvelles perspectives qui se développent en matière de voiture « propre » (je tiens aux guillemets...), mais elles en sont encore au stade expérimental ou trop complexes à utiliser, comme les voitures électriques. Il fut un temps où l'on évoquait les voitures électriques comme une alternative d'avenir aux voitures à carburant. La réalité n'a pas encore tout à fait rejoint le rêve : la voiture électrique coûte cher (les batteries doivent être louées 150 euros par mois) et a une autonomie insuffisante pour espérer faire de la route avec. Elle est donc limitée à un usage urbain. À ce compte, autant lui préférer le vélo, le bus ou d'autres moyens non polluants et surtout moins chers !

En attendant les progrès de la voiture électrique, le GPL reste le carburant le moins polluant. Ce qui ne signifie pas bien entendu qu'il soit totalement neutre du point de vue des émissions polluantes. Disons que c'est ce qui se fait de moins pire en ce moment en matière d'automobile. Les véhicules en question sont équipés d'un système de « bicarburation » qui leur permet de rouler au gaz de pétrole liquéfié, tout en conservant l'essence comme carburant. L'utilisation de l'un ou l'autre de ces deux carburants se fait de façon alternative : il suffit d'appuyer sur un interrupteur pour changer de carburant tout en continuant à rouler.

Les véhicules au GPL ne produisent pas de particules et rejettent 20 à 30 fois moins d'oxydes d'azote (gaz à l'origine des pluies acides et des pics de pollution urbaine) que les moteurs Diesel. En revanche, ils produisent plus de monoxyde de carbone que les voitures à essence et les diesels.

LES AVANTAGES DU CARBURANT GPL

— Il ne contient ni soufre, ni plomb, ni benzène.
— Il ne produit pas de particules.
— Il génère 20 à 60 % d'oxyde de carbone (CO) en moins qu'une voiture à essence.
— Il génère 10 % de gaz carbonique (CO_2) en moins qu'une voiture à essence.
— Il génère 30 à 60 % d'hydrocarbures (HC) en moins qu'une voiture à essence.
— Il génère 15 à 40 % d'oxydes d'azote (Nox) en moins qu'une voiture à essence.

Pour les plus motivées : transformer un véhicule à essence en GPL

Oui, c'est possible, à trois conditions : que votre voiture roule à l'essence sans plomb, qu'elle soit en très bon état du point de vue mécanique, et qu'elle affiche moins de 60 000 km au compteur.

Pour faire la conversion, vous vous adresserez à un des 400 installateurs agréés par le Comité français du butane et du propane (CFBP). Une fois qu'il sera transformé, il vous faudra présenter votre véhicule à la Direction régionale de l'Industrie, de la Recherche et de l'Environnement (DRIRE). Si vous le lui demandez gentiment, le garagiste qui a installé le GPL pourra le faire pour vous, en déposant à la préfecture le dossier d'homologation, qu'il doit de toute façon remplir. Vous obtiendrez alors une nouvelle carte grise portant la mention « E/G » (Essence/Gaz) sous l'intitulé « Énergie » (EN).

Parlons « argent »

Comme il est moins taxé que les autres carburants, le GPL coûte moins cher : son prix est inférieur de moitié à celui de l'essence et un tiers moins cher que le gazole. Il faut néanmoins relativiser le gain financier réalisé puisque les moteurs GPL consomment entre 20 et 30 % de carburant en plus que les véhicules à essence.

Acheter un véhicule à moteur GPL permet par ailleurs de bénéficier d'une aide financière de l'État : en joignant à la déclaration de revenus les pièces justificatives (dépenses effectuées dans l'année précédant la déclaration), vous profiterez d'un crédit d'impôt de :

— 1 525 euros pour l'achat ou la location avec option d'achat d'un véhicule GPL ou la transformation par un professionnel agréé d'un véhicule à essence de moins de 3 ans ;

— 2 300 euros si l'achat s'accompagne de la destruction d'un véhicule immatriculé avant le 1er janvier 1992.

GPL, TUNNEL ET PARKING SOUTERRAIN

Le GPL est largement plébiscité par de nombreux pays... sauf en France, où les conducteurs continuent à le bouder, en dépit des avantages financiers qu'il présente. Il faut dire qu'il est précédé d'une réputation inquiétante, due au risque d'explosion qu'il présente. Un soupçon d'ailleurs entretenu par les panneaux que l'on peut voir ici et là, spécifiant que les véhicules de ce genre ne peuvent pas emprunter un tunnel ou stationner dans un parking souterrain. Une précision s'impose donc : ces panneaux ne concernent pas les véhicules GPL construits depuis 2000, dont le réservoir est muni d'une soupape de sécurité. Ce dispositif, maintenant obligatoire, réduit à néant le risque d'explosion, même en cas de choc important. Un GPL récent peut donc stationner n'importe où et emprunter les tunnels, à l'exception du tunnel sous la Manche.

La voiture hybride

Disons-le tout net, ce type de véhicule est réservé à celles qui peuvent se le permettre : presque 30 000 euros pour le seul modèle hybride actuellement disponible en France. Même en comptant les aides de l'État (1 524 euros à l'achat, et 2 300 euros si vous détruisez par la même occasion votre voiture vieille de plus de 12 ans), cela fait une jolie somme.

Sans entrer dans les détails techniques, disons que le principe d'une voiture hybride consiste à utiliser deux moteurs (un moteur à essence et un second électrique), qui fonctionnent tantôt indépendamment, tantôt ensemble. Le moteur électrique n'a pas besoin d'être rechargé, puisque la batterie qui l'alimente récupère l'énergie excédentaire du moteur à combustion et l'énergie cinétique créée par le freinage.

Un système qui permet de réduire sérieusement la consommation (entre 4 et 5 litres aux 100 km, soit 3 litres de moins qu'une voiture à essence équivalente) et considérablement la pollution (record de faible émission de CO_2 avec 104 g/km).

Et les « biocarburants », alors ?

Les « biocarburants » sont fabriqués à partir de blé, de betterave, de colza ou d'autres plantes. Leur intérêt : ils ne rejettent pas de carbone. Sans que vous le sachiez, vous les mettez déjà dans votre moteur, puisqu'ils sont incorporés à hauteur de 0,8 % respectivement dans l'essence et le gazole. Il est prévu que ce pourcentage atteigne 5,75 % en 2008, 7 % en 2010 et 10 % en 2015.

« METS DE L'HUILE ! »

— Les huiles végétales, aussi appelées « huiles brutes » : ce sont les mêmes qu'on trouve au rayon « alimentation » du supermarché. Eh oui, on peut les mettre dans un moteur Diesel !

— Les esters méthyliques d'huile végétale (EMHV), appelés aussi « diesters », proviennent de ces huiles végétales qui ont subi une transformation chimique.

— Le bioéthanol ou son dérivé l'ETBE (éther) est obtenu à partir de betterave, de canne à sucre ou d'amidon.

— Le gaz naturel véhicule (GNV) est produit par fermentation de déchets alimentaires ou de déchets végétaux. Les bus des transports en commun roulent au GNV.

En théorie, l'usage de « biocarburants » est une bonne chose. Pourtant, ils sont généralement issus de cultures intensives, grandes consommatrices d'engrais et de pesticides. Le processus de fabrication de l'éthanol à partir de maïs nécessiterait 29 % d'énergie de plus que celle que l'éthanol libère comme carburant... On perd d'une main ce que l'on gagne de l'autre...

A priori, en tant que particulier, vous ne pouvez pas faire grand-chose pour avoir recours à ces carburants alternatifs, pour l'instant réservés aux transports en commun.

Pourtant, certains éco-aventuriers utilisent les huiles végétales brutes (dites aussi « pures ») de tournesol ou de colza (l'huile « première pression à froid » que vous trouvez au supermarché pour faire votre vinaigrette) en la mettant dans leur moteur Diesel ! Ces huiles sont d'ailleurs reconnues depuis décembre 2002 comme des « biocarburants » par l'Union européenne. À ce titre, elles devraient bénéficier d'une totale exonération de la taxe intérieure sur les produits pétroliers (TIPP). Mais la France, tel le petit village gaulois résistant à l'envahisseur, interdit l'usage de l'huile végétale en mélange ou en substitution du gazole. Ceux qui passent outre et mettent malgré tout de l'huile végétale dans leur moteur s'exposent en droit à une amende. Dans ce cas, ils peuvent cependant invoquer la législation européenne et la directive 2003-30CE concernant les « biocarburants », directive que la France aurait dû retranscrire dans son droit national.

Si vous voulez tenter le coup...

Les huiles végétales brutes (ou pures) fonctionnent dans tous les moteurs Diesel en mélange. Vous mettez 70 % de gazole et 30 % d'huile de tournesol ou de colza « première pression à froid ». Si vous voulez augmenter ce pourcentage, il vous faudra faire modifier votre moteur.

« Roule (mieux), ma poule ! »

Adopter des bonnes habitudes et de bons comportements au volant, c'est possible ! Et savoir conduire écolo permet encore de limiter la casse lorsque vous êtes au volant : votre façon de conduire peut vous faire consommer 5 à 40 % de carburant en plus... ou en moins. Voici donc quelques conseils pas compliqués pour mieux rouler :

Démarrez en douceur, sans « pousser » votre moteur, et attendez 10 s. Pas besoin de laisser le moteur tourner plus longtemps sous prétexte de le faire chauffer. Commencez ensuite à rouler à petite vitesse. Accélérez doucement pendant les cinq premiers kilomètres : la surconsommation en ville peut atteindre 45 % sur le premier kilomètre et 25 % sur le deuxième.

Limitez vous-même votre vitesse : en passant de 130 à 120 km/h sur l'autoroute, avec une voiture moyenne, vous économiserez entre 3,5 et 4,5 litres de carburant pour faire 450 km.

Ne roulez pas avec une voiture chargée si vous n'en avez pas besoin. Les galeries, les porte-vélos provoquent une surconsommation de 10 à 20 %. Il faut les retirer dès qu'ils ne sont plus utiles. Les remorques et les porte-vélos que l'on fixe à l'arrière de la voiture sont préférables aux galeries.

Vérifiez la pression de vos pneus tous les 2 mois. Rouler en étant « sous-gonflé » augmente la consommation d'essence. À propos de pneus, lorsqu'il s'agira de changer les vôtres, choisissez un garagiste qui participe à un programme de collecte des pneus usagés. Les pneus qui ont lâchement été abandonnés dans la nature ou dans une décharge sauvage (même si en théorie les décharges sauvages n'existent plus) posent un problème majeur : ils ne peuvent pas se décomposer.

Les points de contrôle à faire vérifier :

— le système d'allumage ;

— le système d'injection ;

— le carburateur ;

— le système antipollution ;

— le filtre à huile ;

— le filtre à air.

En bref, rouler peu, c'est bien. Ne pas avoir de voiture, c'est très très bien.

1. Équipez votre biclou

Installez-lui de bonnes vieilles sacoches à vélo : elles sont très utiles pour faire vos courses. Vous prendrez soin de les choisir plutôt moches... et donc inaptes à susciter les envies.

2. Pour votre vélo, fabriquez un méga-antivol maison

Léger, résistant et ne prenant pas beaucoup de place. Il vous suffit de récupérer une vieille chaîne de cyclomoteur (faite d'acier très costaud) que vous glisserez dans une chambre à air de vélo de course. Il ne vous reste plus qu'à fermer le tout avec un cadenas !

3. Sortez le soir à vélo entre copains

Rien de plus sympa ! Pas de galère de transport (il est 12h51 et le dernier métro vient de vous passer sous le nez), ni de temps passé à attendre le bus de nuit par −12 °C, ni même de course effrénée après un taxi qui de toute façon ne vous prendra pas (il rentre chez lui). Le vélo – peu de gens s'en doutent – est le meilleur ami de la clubbeuse !

4. Manifestez sur votre petite reine

Faites-vous de nouveaux amis et rigolez un bon coup en participant aux manifs de vélos organisées chaque mois à Paris et dans d'autres villes.

5. Organisez une manif vous-même

C'est un plan sympa si vous êtes très motivée et qu'il n'existe pas encore de telles manifestations là où vous habitez.

6. Si vous achetez une voiture, lisez bien l'étiquette

Depuis le mois de septembre 2005, les concessionnaires sont tenus d'afficher la consommation et les émissions de CO_2 de chaque voiture neuve qu'ils vendent.

7. Préférez une petite voiture

Un bon critère de base pour choisir une voiture écolo est assez simple à comprendre : plus le véhicule est petit et moins il pollue. Ceci vaut pour les voitures relativement récentes – de moins de 10 ans.

8. Boycottez à tout prix les véhicules tout-terrain

Les fameux 4 × 4 et autres combis ou minibus polluent trois fois plus l'atmosphère qu'une petite berline.

9. Prenez soin de Titine

Apportez votre voiture régulièrement au garage (deux fois par an) pour les réglages : un moteur mal réglé consomme 10 % de carburant en plus et pollue beaucoup plus.

10. Évitez la climatisation en voiture

Les gaz utilisés dans les circuits de climatisation sont de très puissants gaz à effet de serre qui fuient toujours un peu (on estime les fuites à 33 % de la charge initiale) et qui ne sont pas récupérés en fin de vie.

11. Pour les longs trajets, préférez le train

Renseignez-vous sur les tarifs réduits proposés par la SNCF : si vous avez charge de famille, ils peuvent être particulièrement intéressants.

12. Développez le réflexe « transports en commun »

Renseignez-vous sur les trajets et les heures de passage en vous procurant un plan et un tableau horaire. Vous serez étonnée par le temps et l'argent gagnés.

13. Montrez l'exemple à vos enfants

Limitez au maximum l'usage de la voiture et préférez le vélo et les transports en commun. Après tout, il est important de former les éco-conducteurs de demain !

14. Pratiquez l'auto-partage

Réfléchissez bien : si vous habitez dans une ville où l'auto-partage se pratique, cela vaut-il vraiment la peine de garder votre vieille 106, qui tombe en panne toutes les 5 mn et vous coûte les yeux de la tête en réparations ?

15. Organisez et cultivez votre propre réseau de covoiturage

Voisins, voisines, copains, copines peuvent profiter de votre voiture lorsque vous allez faire vos courses ou lorsque vous emmenez votre petit dernier au club d'équitation, par exemple. Et inversement.

chapitre 5

Comment organiser des vacances en vert
(et au vert)

Concilier vacances et écologie, est-ce possible ?

Le tourisme est la première industrie mondiale, du fait notamment du développement des moyens de transport. Cette industrie connaît une croissance de 4 % par an. Les vacances écolos sont un concept en soi un peu ambigu : l'écologiste, en effet, amoureux de la nature, n'aime rien tant que les paysages inviolés et grandioses, paysages qui se trouvent généralement à quelques milliers de kilomètres de chez lui. Trekking, plongée sous-marine en eaux tropicales, tourisme solidaire pour aider un village népalais à construire ses toilettes sèches et autres vacances apparemment écologique- ment correctes ne le sont pas autant qu'il y paraît. Car, pour se rendre vers ces destinations lointaines et assouvir ainsi sa passion pour dame Nature, notre routard préféré doit prendre l'avion... Et l'avion, d'un strict point de vue de la consommation de kérosène et de production de gaz carbonique, ruine dès le départ toute prétention à l'écologie. Une fois sur place, le ramassage de tous ses papiers gras et de ses mégots de cigarettes, le respect accru des populations locales ne changeront pas grand-chose à cet état de fait. Se déplacer loin pollue. Voilà qui va singulièrement compliquer la donne en matière de vacances...

N'oubliez pas : en théorie, les vacances les plus écolos que l'on puisse vivre sont celles que l'on passe chez soi...

Les destinations à éviter

C'est très simple : les destinations à éviter sont toutes celles qui exigent un déplacement en avion. Les destinations lointaines, donc, grosses génératrices de gaz à effet de serre. Cette évidence est d'autant plus difficile à admettre qu'on pense souvent que le seul fait de voyager « sac au dos » garantit contre le tourisme « de masse » et toutes les nuisances qu'il entraîne. Le routard qui fait du trekking en Inde serait ainsi « gentil » et sensible à la nature, contrairement au « vilain » touriste de base, qui va s'entasser dans un camping en béton, quelque part sur la Costa del Sol, et jeter ses mégots de cigarettes partout sur la plage. Et pourtant, les choses ne sont pas si simples... Du simple fait qu'il ait pris l'avion, il n'est pas certain que le gentil routard ait tout bon en terme d'émission de gaz à effet de serre.

Par ailleurs, l'activité que ledit routard pratiquera une fois sur place participe à la dégradation certaine d'un écosystème : la montagne n'est pas faite pour accueillir un défilé continuel. Cette forme de tourisme, confidentielle à l'origine, se développe à grande échelle. Ce qui entraîne des conséquences non négligeables en terme de nuisances, aussi bien du point de vue écologique que du point de vue culturel. Un exemple : le simple fait de faire ses besoins pose un problème écologique. Le nombre de trekkers augmentant sans cesse, celui des déjections augmente en proportion. Or, dans les zones « inviolées » prisées par les routards, rien n'est organisé pour recevoir une présence humaine continue et nombreuse (c'est d'ailleurs pour cette raison que les gens s'y rendent !). À partir de ce moment-là, la gestion des déchets (y compris biodégradables et naturels) devient complexe, puisque rien n'est prévu pour. Sans parler de la pollution qu'entraîne l'usage de produits comme le gel douche ou le shampooing. Bref, entre le voyage sac au dos et la bronzette sur la Costa del Sol, le moins polluant n'est pas forcément celui qu'on croit.

Si néanmoins vous êtes fan des voyages du bout du monde, ayez conscience que ce tourisme n'a pas grand-chose d'écologique, du simple fait qu'il exige de prendre l'avion. Alors, essayez de limiter la casse une fois sur place.

Comment vous rendre en vacances ?

Les modes de transport les plus utilisés par les touristes sont : les transports routiers (51 % des voyages), l'avion (39 %), les transports fluviaux (7 %), le train (3 %).

Malheureusement, on peut en déduire que les moyens de transport les plus utilisés – la voiture et l'avion – sont également ceux qui présentent le bilan de gaz à effet de serre le plus lourd. Tandis que le mode de transport le moins polluant – le train – arrive bon dernier de la liste.

Avant de partir, étudiez la situation : à combien de passagers partez-vous ? quelle distance devez-vous parcourir ? quels sont les moyens de transport à votre disposition ? En sachant que l'avion (un Paris/New York équivaut au quart de la contribution annuelle d'un Français à l'effet de serre...) et la voiture sont de loin les transports les plus polluants, devant le bateau et le train, vous ferez un choix réfléchi.

Si vous vous déplacez sur moins de 800 km, évitez de prendre l'avion et choisissez sans scrupules le train. C'est en effet pour les vols à courte distance que le bilan environnemental de l'avion est le plus lourd : la consommation d'énergie et les rejets polluants sont plus importants au moment du décollage et de l'atterrissage. Pour ce genre de trajets, le TGV permet maintenant de rattraper le temps que faisait gagner l'avion.

Si vous avez beaucoup de bagages et que vous êtes en voiture, utilisez une remorque plutôt qu'une galerie. Cela vous permet d'économiser jusqu'à plus de 15 % de consommation d'essence.

À l'étranger : comment être écolo quand rien n'est prévu pour ?

Dans les pays non industrialisés, les déchets ne sont pas triés et encore moins recyclés. Dans la mesure où les populations locales rurales produisent essentiellement des déchets biodégradables, cela se comprend. Le problème se pose différemment dans les zones urbaines, où les ordures de toutes sortes s'entassent où elles peuvent, de façon très anarchique. D'où la nécessité d'être particulièrement vigilant sur la question lorsqu'on est en voyage.

Les règles d'or de l'« éco-touriste ». L'absence d'infrastructures destinées à collecter et recycler exige d'adopter quelques comportements spécifiques :

— N'apportez pas de sacs plastiques ou alors remportez-les avec vous.

— Dans les pays où vont les touristes, l'eau n'est pas traitée. Je me souviens d'une très belle plage marocaine, qui dégageait une odeur peu plaisante. Les égouts de la petite ville côtière s'écoulaient directement dans la mer... Vous emporterez donc des shampooings, savons et lessives naturels qui ne contiennent pas de phosphates. Et oubliez tous les produits inutiles, du genre démêlant ! Limitez-vous à un savon de Marseille et un shampooing bio.

— L'eau est souvent rare dans les endroits prisés par les routards. N'en abusez pas. Certains continuent à faire comme s'ils étaient chez eux, en passant 20 mn sous la douche dans des régions souffrant de sécheresse. Une telle attitude témoigne d'une grande irresponsabilité. Utilisez l'eau avec parcimonie, comme les gens du coin, et ne la souillez pas.

— Si rien n'est prévu sur place pour vos déchets divers et non biodégradables, gardez-les avec vous pour les remporter. Vous verrez, cela modifiera probablement votre façon de consommer !

— Emportez des gourdes équipées de filtre, pour éviter les sacro-saintes bouteilles d'eau en plastique, consommées à la chaîne dans les pays chauds.

— À l'intérieur, utilisez des produits locaux pour vous débarrasser des insectes et non des produits chimiques en aérosol. L'essence de citronnelle, l'encens en spirale, la moustiquaire : observez comment les gens du coin traitent le problème des insectes et imitez-les !

— Achetez vos souvenirs à la campagne, dans un village, plutôt qu'en ville et fuyez les endroits où tentent de vous ramener les rabatteurs qui vous harponnent à la descente du bus. De façon générale, regardez le public qui se trouve dans le magasin ou le restaurant où vous comptez entrer : s'il n'y a que des groupes de touristes, fuyez !

À la montagne

La popularité du trekking et de l'alpinisme fait peser une pression de plus en plus importante sur l'environnement. D'où l'importance de respecter, ici plus qu'ailleurs, quelques principes essentiels et simples à mettre en œuvre :

— Remportez absolument tous vos détritus, du papier aluminium aux mégots de cigarettes en passant par les serviettes hygiéniques, les tampons et les préservatifs. Oui, ce n'est pas très glamour, mais c'est comme ça !

— N'enterrez pas vos ordures : cela favorise l'érosion. En plus, la décomposition prend des années, surtout en haute altitude.

— Évitez d'emporter de l'eau en bouteilles. Préférez les pastilles de purification et une gourde à filtre.

La délicate question des déjections humaines

On sait bien que laisser traîner ses déchets dans la nature n'est pas très écolo. On se doute moins que faire ses besoins n'importe où ne l'est pas non plus. Pourquoi donc, alors que tout ça est à la fois naturel et biodégradable ? L'effet de masse fait que les excréments acquièrent une dimension gênante du point de vue environnemental. Ils peuvent en effet contaminer les sources d'eau et favoriser la transmission de diverses maladies, comme la typhoïde, l'hépatite ou les parasites intestinaux... Le risque de pollution sanitaire n'est pas négligeable. Par ailleurs, il faut bien reconnaître qu'il n'est jamais plaisant de rencontrer des crottes tous les 3 m, que ce soit sur les trottoirs de nos villes ou au fin fond de l'Himalaya.

Si vous aimez à crapahuter en milieu montagneux, n'oubliez pas d'emporter une pelle-bêche pour enfouir vos excréments. Vous respecterez une condition : ne jamais vous soulager à moins de 100 m des cours d'eau, pour éviter leur contamination par les matières fécales. Vous creuserez donc un trou de 15 cm de profondeur, avant de recouvrir vos déjections et le papier hygiénique avec de la terre et des pierres. Si le sol est recouvert de neige, creusez quand même, sinon vos excréments risquent fort de faire surface lorsque la neige fondra.

L'érosion

Ne quittez pas les sentiers qui existent déjà, afin de ne pas accroître l'érosion. Dans cette optique, vous éviterez de faire des raccourcis à travers la montagne. En faisant cela, vous traceriez un nouveau chemin qui risquerait de se transformer en cours d'eau à la prochaine pluie.

Évitez de cueillir les plantes : elles retiennent le sol et évitent ainsi l'érosion de la montagne.

Ne coupez pas de bois pour faire du feu. Si tout le monde se mettait à agir ainsi, cela risquerait d'entraîner une déforestation. Le problème se pose déjà dans certains coins de l'Himalaya, très en vogue chez les amateurs de montagne. Utilisez un réchaud à kérosène, alcool ou tablettes. Munissez-vous de vêtements chauds pour éviter d'avoir à faire du feu pour vous réchauffer.

À la mer

La mer est un des écosystèmes les plus menacés. Malgré la présence de poubelles sur la plupart des plages, chaque touriste laisse en moyenne 2 litres de déchets par jour sur le sable ! On trouve donc de tout sur une plage, du bâtonnet d'esquimau au mégot de cigarette en passant par le flacon de crème solaire emporté par les flots. Sans oublier les sacs plastiques, qui parsèment les plages et les côtes : ainsi, on compterait plus de 120 millions de sacs plastiques dispersés sur le seul littoral français ! La présence de ces déchets oblige les communes concernées à utiliser des tracteurs pour tamiser le sable. Or, le passage de ces engins est nuisible pour les écosystèmes présents sur la plage et dans les dunes.

DURÉE DE VIE D'UN DÉCHET

— mouchoir en papier : 3 mois
— journal : 3 à 12 mois
— allumette : 6 mois
— peau de banane : 8 à 10 mois
— mégot (tabac et papier) : 3 à 4 mois
— mégot (tabac et papier) avec filtre : 1 à 2 ans
— chewing-gum : 5 ans
— papier de bonbon : 5 ans
— canette en acier : 100 ans
— briquet en plastique : 100 ans
— canette en aluminium : 200 ans
— sac plastique : 450 ans
— bouteille en plastique : 500 ans
— polystyrène expansé : 1 000 ans
— carte téléphonique : 1 000 ans
— du verre : 5 000 ans

Pour les amateurs de plongée

— **Privilégiez les Centres de plongée responsable,** concernés par la protection des fonds marins, qui œuvrent pour le retraitement des déchets et des eaux usées et qui s'investissent dans le développement local.

— **Faites attention à ne pas abîmer les récifs coralliens,** si vous pratiquez la plongée en eaux tropicales : n'utilisez pas d'ancre à proximité des zones coralliennes, utilisez des palmes courtes en maîtrisant vos mouvements pour ne pas heurter les coraux. Et veillez à bien fixer votre matériel de plongée pour qu'il ne s'y accroche pas.

— **Ne touchez pas les coraux et ne les ramassez pas...**

— **Sur le bateau, ne jetez rien par-dessus bord.**

— **Ne prélevez rien qui vienne de la mer.**

— **Ne harcelez pas les animaux** en les poursuivant. S'ils se sont cachés, attendez sans bouger jusqu'à ce qu'ils ressortent. Il est inutile de les stresser davantage sous prétexte que vous vous sentez l'âme joueuse.

— **Ne nourrissez pas les poissons :** en faisant cela, vous déséquilibrez l'écosystème.

Quelles sont les vacances les moins polluantes ?

Le tableau suivant vous permettra d'en avoir une petite idée. Il présente ce que « coûte » 1 mois de vacances en gaz à effet de serre rejetés dans l'air, selon la formule choisie. Vous constaterez ainsi qu'il vaut mieux randonner à vélo ou camper que de dévaler les pistes enneigées...

— Randonnée à vélo (départ en train) : **80** kg d'équivalent carbone.

— Camping sous tente : **91** kg d'équivalent carbone.

— Séjour dans une maison ancienne : **118** kg d'équivalent carbone.

— Camping en caravane : **162** kg d'équivalent carbone.

— Séjour en location : **188** kg d'équivalent carbone.

— Séjour en résidence secondaire récente : **468** kg d'équivalent carbone.

— Séjour aux sports d'hiver (voyage en voiture) : **580** kg d'équivalent carbone.

— Séjour en hôtel au Maroc (voyage en avion) : **1 056** kg d'équivalent carbone.

Les vacances solidaires (pour les plus motivées)

Il existe plusieurs formules de tourisme solidaire : vous pouvez aider à construire un puits ou une école dans un village africain, comme vous pouvez passer par une agence de voyages qui reverse une partie du prix du voyage pour développer des projets locaux. À vous de voir ce qui vous convient le mieux, en vous méfiant néanmoins des agences qui s'autoproclament « solidaires », pensant ainsi aligner un imparable argument marketing. Renseignez-vous bien avant de partir.

Pour vous renseigner

« Aventure du bout du monde » (AMB) est une association qui entend permettre les échanges d'informations entre passionnés de voyages. Si vous comptez vous rendre dans un endroit peu connu et préparer votre périple, adhérer est un moyen simple et peu coûteux de vous renseigner... et de communiquer votre expérience à votre retour. AMB ne vend pas de voyages (*http ://www.abm.fr/*).

Un site bien fait, pour vous informer sur le tourisme solidaire : *http ://www.echo way.org/*

1. En vacances, évitez d'emporter des piles

Une pile au mercure jetée dans la nature pollue 1 m³ de terre et 1 000 m³ d'eau pendant 50 ans. Si vous en utilisez, ramenez-les chez vous.

2. Préférez du matériel qui fonctionne sans pile

Savez-vous qu'il existe des lampes sans piles à LED ?

3. À l'étranger, renseignez-vous

Posez des questions aux artisans qui vendent des souvenirs : quels matériaux et quelles techniques utilisent-ils ? d'où proviennent les matériaux qu'ils travaillent ?

4. Faites attention aux souvenirs que vous achetez

Si vous êtes dans un pays exotique, refusez d'acheter les bijoux, statuettes, peignes et tous les objets fabriqués en ivoire ou en écailles de tortue. N'encouragez pas le commerce d'objets provenant d'espèces en voie de disparition.

5. Ne négociez pas trop

Souvent, le voyageur se livre à d'âpres négociations sans fin pour acheter « au même prix que les gens du cru ». Mais la différence entre les gens du cru et lui, c'est que le second dispose d'un pouvoir d'achat nettement supérieur à celui des premiers. Il peut donc être indécent de négocier trop longtemps.

6. Utilisez et consommez les produits locaux

Il est toujours surprenant de voir des touristes s'apprêtant à passer du temps dans un pays étranger arriver chargés de courses faites dans leur pays. Consommer « local » fait pourtant partie intégrante du voyage !

7. En camping sauvage, ne polluez pas les cours d'eau

N'utilisez ni savon ni dentifrice, même s'il s'agit de produits biodégradables. Pour vous laver, utilisez du savon biodégradable et éloignez-vous d'au moins 50 m de l'eau. Vous répandrez ensuite l'eau que vous avez utilisée sur la terre.

8. Lavez « bio-intelligent »

Pour laver les ustensiles de cuisine, utilisez du sable (ou de la neige si vous faites du trekking) plutôt que du détergent.

9. En vacances plus que jamais, évitez le sac plastique

Chaque année, les déchets en plastique provoquent la mort de 1 million d'oiseaux, de dizaines de milliers de mammifères et d'un très grand nombre de poissons.

10. Laissez la voiture au rancart

Si vous êtes en vacances au bord de la mer, profitez-en pour vous déplacer à vélo ou à pied.

11. Sur la plage, respectez les dunes

Suivez le parcours indiqué par les clôtures qui ne sont pas là pour vous ennuyer, mais pour protéger la végétation. Les grandes herbes que l'on voit ondoyer sur le sable jouent en effet un rôle très important : elles permettent de fixer la dune, qui sans cela disparaîtrait avec le vent.

12. Adaptez-vous

Abandonnez tout comportement visant à faire comme si vous étiez chez vous et non pas à l'étranger ou en pleine nature. Vouloir faire un baume-soin réparateur pour cheveux secs en haute montagne ou exiger de manger un steak-frites en voyageant en Inde, c'est faire preuve d'un manque d'adaptation flagrant...

13. Boycottez toutes les activités motorisées bruyantes, polluantes

Disons-le, celles-ci sont souvent sans grand intérêt : 4 × 4, motocross, scooter des mers, quad, scooter débridé ou motoneige... Outre la pollution engendrée, ces activités très peu sportives dans le fond portent atteinte à la faune et à la flore.

14. Dites non au golf en terre exotique !

En Thaïlande, l'arrosage d'un seul terrain équivaut à la consommation d'eau de 60 000 locaux. Pratiquez donc plutôt le golf dans des contrées bien arrosées : en Angleterre ou en Irlande...

15. Ne sortez pas des sentiers battus

Le VTT, bien qu'il semble être un sport écolo, ne l'est pas tant que ça lorsqu'il est pratiqué en dehors des sentiers battus. Faire du vélo tout-terrain entraîne des conséquences sur la végétation, le sol, voire sur la faune.

chapitre 6

Comment installer
« *my bio-home-sweet-home* »

Comment construire une maison bio ?

Vous voulez faire construire et l'idée d'une maison bio vous séduit ? Sachez que cette entreprise, déjà compliquée en temps normal, risque de s'avérer plus difficile encore. En sortant du cadre habituel de la construction, vous ne vous simplifierez pas la vie ! Comme je conçois quelques soupçons sur le fait que vous vous lanciez dans l'autoconstruction (bien trop fatigante), vous allez devoir vous documenter, trouver un architecte et des artisans capables de mettre en œuvre votre projet. En soi, ce n'est pas une mince affaire, à plus forte raison lorsqu'il s'agit de construire un logis pas comme les autres. Les techniques à mettre en œuvre sont multiples : vous pouvez, par exemple, cumuler trois ou quatre modes de chauffage différents. Les lignes qui suivent n'ont donc d'autre prétention que de vous présenter des pistes, sans être un inventaire exhaustif des méthodes de bioconstruction qui existent.

Prenez votre temps, documentez-vous, et surtout comparez les prix et les devis. Certains artisans, du fait qu'ils possèdent des savoir-faire que les autres ne maîtrisent plus (comme l'usage de la chaux, par exemple), en profitent pour tirer sur la corde en matière de prix. Avant de vous lancer, sachez tout de même que construire « bio » risque de vous coûter plus cher et de prendre plus de temps que si vous achetiez un pavillon Bouygues.

Comment bien isoler sa maison bio

C'est un poste important puisqu'une bonne isolation permet de diminuer la consommation d'énergie de la maison, sans que vous ayez à vous geler pour autant. Pour pouvoir ajouter l'adjectif *écologique* au mot d'*isolation*, vous devez bien réfléchir aux matériaux que vous comptez utiliser. En effet, il se trouve que les isolants employés habituellement ne devraient vraiment pas l'être : ils sont irritants et émettent des substances polluantes que nous inhalons. Certains de ces matériaux, comme la laine de verre, sont classés comme cancérigènes.

Les matériaux à éviter

Les laines minérales. Les matériaux les plus employés pour isoler sont la laine de verre et la laine de roche. Disons-le tout net : il vaut vraiment mieux les éviter, pour plusieurs raisons. Leur production exige plus d'énergie que les matériaux bio ; ce sont en outre des matériaux non recyclables. Par ailleurs, elles contiennent du formaldéhyde, produit irritant et allergène pour la peau et l'appareil respiratoire. Ces laines émettent en effet des fibres respirables très irritantes pour celui qui les manipule. Ces fibres restent ensuite dans les poumons... Un ami architecte me disait qu'il risquait d'y avoir dans quelques années des procès du type de celui de l'amiante concernant ces laines minérales isolantes, encore très couramment utilisées en France, alors que d'autres pays n'y ont presque plus recours...

Les isolants de synthèse. Ces dérivés de la pétrochimie sont très polluants, à la fabrication et à l'usage. Parmi eux, le polyuréthane et le polystyrène utilisés sous forme de mousse ou de panneaux isolants. En cas d'incendie, ils s'enflamment rapidement et dégagent des gaz fortement toxiques et mortels.

Le polystyrène. Il émet des styrènes, nocifs à inhaler, et des gaz toxiques lorsqu'il est à proximité d'une source de chaleur. Et il diffuse constamment du pentane pendant toute sa durée de vie.

Le polyuréthane. Il est souvent employé sous forme de mousse pour calfeutrer les cadres de portes et de fenêtres. Il libère des amines, qui sont considérées comme des substances dangereuses, et contient des additifs toxiques.

Mais alors, par quoi les remplacer ? Il existe des isolants d'origine naturelle, végétaux, animaux ou minéraux, que l'on commence à trouver sans trop de problèmes.

Certaines fibres végétales présentent une bonne alternative aux laines minérales, à qualités isolantes égales. La plupart de ces isolants sont disponibles sous forme de laines (en rouleaux), en vrac (comme les flocons de cellulose) ou en panneaux rigides et semi-rigides. Dans la catégorie des panneaux, on trouve le liège, la cellulose (flocons compressés), le roseau et la fibre de bois. À noter : il est malheureusement encore difficile de se les procurer au Bricorama du coin. Là encore, Internet vous aidera à trouver un fournisseur, hors circuit de la grande distribution.

Les isolants naturels

Le chanvre. Cet isolant naturel peut être cultivé sans engrais – ce qui le rend écologique ; ses fibres sont naturellement fongicides et antibactériennes. Il permet de bons échanges thermiques et supprime les impressions de parois froides. Vous pouvez l'utiliser en rouleaux et en vrac, comme la laine de verre. Les fibres de chanvre incorporées dans de la chaux permettent de faire de très bons enduits isolants. Vous le trouverez aussi sous forme de laine pour remplir les cloisons, de brique ou de granulés. La chènevotte, dérivé du chanvre, est un granulat léger qui remplace efficacement le sable. *À noter :* ce produit, considéré il n'y a pas si longtemps comme un déchet, a vu sa cote grimper... et son prix aussi. Son coût peut donc s'avérer plus élevé que celui d'un isolant classique. Mais il faut savoir qu'une isolation en laine de chanvre de 100 mm équivaut à une isolation de 200 mm en laine de verre – ce qui limite les quantités à utiliser.

Le lin et le coton. Ce sont des isolants performants mais encore chers.

La laine de mouton. C'est un très bon isolant thermique et phonique. Difficile de faire plus bio ! Pour les paresseuses et celles qui n'y connaissent rien : on s'en sert pour isoler les combles perdus en la répandant simplement sur le sol du grenier. Si vous voulez vous en procurer, il peut être utile de connaître un éleveur qui vous en vende.

La cellulose. Généralement fabriqués à partir de journaux recyclés, les flocons de cellulose sont disponibles sous forme de panneaux ou en vrac.

La perlite. Elle est fabriquée à partir de roches volcaniques. Elle est totalement exempte de toxicité. C'est le seul isolant pour combles perdus dont les propriétés isolantes ne s'altèrent pas avec le temps.

Le liège. C'est une partie de l'écorce du chêne-liège ; il pousse très lentement. Pour ne pas épuiser cette ressource naturelle, vous le limiterez aux usages ponctuels.

Les enduits

À vrai dire, le métier de plâtrier a presque disparu. Désormais, on utilise des panneaux de plâtre tout faits et très faciles à poser. Un petit souci néanmoins : les colles que ces panneaux contiennent émettent des formaldéhydes. Polluant majeur de l'habitat, ce gaz est redoutable pour son pouvoir irritant et allergisant. Il provoque des irritations de la peau, des yeux, des voies respiratoires et peut déclencher des crises d'asthme. Comme si ça ne suffisait pas, il vient d'être classé « cancérigène certain » par le Centre international de recherche sur le cancer (CIRC).

Il existe trois types de plâtres :

— le gypse naturel ;

— le plâtre à base de phosphates (phosphogypse), sous-produit de fabrication des engrais phosphatés ;

— le plâtre produit à base de sulfates provenant de la dépollution des fumées de combustion.

Ces deux derniers sont des sous-produits de processus industriels et émettent du radon, un gaz radioactif. D'un point de vue écologique, le plâtre naturel est donc très nettement préférable au plâtre « synthétique ». Pourtant, celui que vous trouverez dans les surfaces de bricolage est le plus souvent du gypse synthétique, moins cher. Le plus difficile sera ensuite de trouver un plâtrier « ancienne façon »...

La bonne peinture

Les peintures classiques contiennent des solvants constitués d'hydrocarbures, comme le white-spirit, le toluène, le xylène... En se volatilisant, ils polluent l'air et peuvent causer des intoxications. Y sont aussi incorporés des pigments, dont les plus toxiques sont à base de métaux lourds comme le plomb, le zinc, le chrome, le cadmium, là aussi responsables d'intoxications. On y trouve parfois des pesticides, ajoutés comme additifs.

Les peintures à éviter

La peinture « glycéro ». Elle contient des hydrocarbures comme le toluène ou le xylène, dérivés du benzène. Ceux-ci présentent un fort risque cancérigène. Ces peintures sont la principale source de composés organiques volatils polluants, qui leur donnent cette odeur particulière. Oui, celle-là même qui vous donne mal à la tête...

Attention ! il faut signaler que la mention « pigments sans plomb » n'exclut pas quand même la présence de plomb, utilisé pour accélérer le séchage de la peinture.

La peinture à l'eau (acrylique). Elle est moins polluante que la précédente, mais encore loin d'être inoffensive. Elle contient des liants et des solvants comme les éthers de glycol, toxiques notamment pour les femmes enceintes, ou le white-spirit et le xylène.

Les peintures bio

Ces peintures écologiques, de très bonne qualité, se différencient des deux précédentes, notamment à cause des solvants qu'elles contiennent. Il s'agit de l'essence de térébenthine, d'origine végétale et peu toxique. D'où une très faible émission de composés organiques volatils. Ces peintures ne contiennent ni éthers de glycol, ni hydrocarbures aromatiques. Les diluants, parfumés aux huiles essentielles ou aux essences d'agrumes, sont beaucoup moins agressifs que le white-spirit, même s'ils peuvent entraîner des problèmes de peau chez certains. Les pigments sont de nature végétale ou minérale (terre de Sienne, oxydes de fer...).

La peinture à la chaux. C'est celle qui était utilisée avant l'arrivée de la peinture chimique... Elle ne présente aucun risque pour la santé, puisque sans additifs ni composés organiques volatils. Perméable à la vapeur d'eau... mais imperméable à la pluie, elle résiste bien aux intempéries. Le problème : il faut trouver quelqu'un qui sache manier ce matériau – ce qui n'est pas évident.

Les matériaux bio

La brique

Elle est faite de terre, matériau de base facile à trouver. Il existe une brique isolante appelée « monomur », qui contient des alvéoles pleines d'air. Étant un bon isolant, ce type de brique ne nécessite aucun doublage.

Le bois

Il est souvent présenté comme le matériau écolo. Pourtant, le bois de charpente ou extérieur est traité chimiquement avec des solvants ou des sels (cuivre, arsenic ou chrome). Et ces derniers peuvent ensuite polluer le sol lorsqu'il pleut.

Attention ! contrairement à d'autres pays qui l'ont interdit, la France continue à utiliser un fongicide très toxique pour traiter le bois de charpente utilisé par les entreprises de BTP. Il s'agit du PCP ou pentachlorophénol. Les bois traités ainsi, normalement inaccessibles aux particuliers, doivent être recouverts d'un vernis de protection et porter la mention qu'ils ont subi ce traitement. Pour le bois vendu aux particuliers, les produits utilisés sont des pyréthrinoïdes de synthèse moins volatils mais qui restent malgré tout des produits chimiques. Renseignez-vous sur la façon dont le bois a été traité.

Évitez les dérivés du bois comme les contreplaqués, les bois agglomérés, les panneaux de particules... Ils sont assemblés avec des colles à base de formol de la famille des formaldéhydes, soupçonnées d'être cancérigènes. Ces produits continuent d'émettre à l'intérieur des maisons. Essayez de trouver des panneaux en bois sans formaldéhydes, collés avec des résines phénoliques.

La paille

Les bottes de paille peuvent être utilisées comme des briques pour monter les murs de votre maison. Très peu chères, elles isolent extrêmement bien, une fois recouvertes d'enduit. C'est une perspective très attirante, mais difficile à mettre en œuvre. Peu d'artisans maîtrisent la technique, peu d'assureurs se risquent à assurer ce genre de chantier. À vrai dire, en France, ce matériau est surtout utilisé en autoconstruction et demande de passer par tout un réseau associatif, fondé sur une forme d'entraide solidaire : « Je t'aide à construire ta maison, tu m'aides à construire la mienne. » Disons qu'il faut aimer passer son temps libre à faire des chantiers et la vie en communauté...

La chaux

C'est un bon isolant thermique et un bon antiseptique : on s'en servait pour assainir les étables. Elle a l'avantage d'évacuer l'humidité en l'absorbant et en l'expulsant sous forme de vapeur, contrairement au ciment qui rend les parois froides en gardant l'humidité.

Orientez votre maison

Une maison doit utiliser au maximum les possibilités naturelles pour réduire la consommation d'énergie, notamment en conservant la chaleur du soleil. Les principes du « bioclimatisme » sont simples et connus depuis longtemps : il faut profiter de la chaleur solaire en orientant la façade de la maison au sud, façade pourvue de portes-fenêtres afin de laisser entrer la chaleur. Une véranda construite devant la maison, côté sud, agira ainsi comme une zone d'accumulation de chaleur qui augmente l'effet de serre à l'intérieur.

Une maison bioclimatique doit donc largement s'ouvrir au sud et privilégier les surfaces vitrées orientées sud-est ou sud-ouest. Elle doit aussi être équipée de doubles vitrages, isolants, et de volets, stores internes ou externes, pour l'été. Les matériaux utilisés doivent retenir la chaleur et la fraîcheur.

L'arrière de la maison sera situé au nord, si possible sans ouvertures pour limiter les déperditions de chaleur. Des zones-tampons aménagées sous forme d'espaces peu ou non chauffés, comme un garage ou un cellier, du côté nord jouent le rôle d'un isolant thermique et diminuent les pertes de chaleur.

Ces principes doivent néanmoins être adaptés à votre région et à votre terrain. Le vent, par exemple, joue un rôle non négligeable dans la façon dont votre maison doit être orientée.

Récupérer l'eau de pluie

Plutôt que d'utiliser l'eau du robinet (avoir une eau traitée pour les toilettes ou faire le ménage ne s'impose pas franchement), vous pouvez profiter chez vous de l'eau de pluie ; les avantages sont nombreux : outre les économies réalisées, l'eau de pluie n'est pas calcaire – ce qui évite tous les problèmes liés au tartre. Appareils ménagers, tuyaux et robinets durent plus longtemps. Parallèlement, cette eau douce réduit de 40 à 60 % les besoins en savon et en lessive.

L'eau est recueillie dans les gouttières, filtrée et rassemblée dans un collecteur avant d'être stockée dans une cuve enterrée dans le jardin. Pour un usage simplement domestique (lave-linge et sanitaires), un filtrage simple sera installé à la sortie de la pompe. Si vous souhaitez utiliser l'eau de pluie comme eau potable, il vous faudra faire installer un filtre supplémentaire, avec un système de traitement par osmose inverse ou microfiltration.

La quantité d'eau récupérable dépend de la surface de votre toit et de la pluviométrie de la région où vous vivez. En moyenne, en France, on estime la capacité de récupération à 1 m^3 par mètre carré de toiture. Dans une région où il pleut 750 mm de pluie par an, avec 100 m^2 de toiture, vous pourrez récupérer ainsi 75 000 litres en 1 an. Une quantité suffisante pour couvrir entre la moitié et les deux tiers des besoins d'une famille de 4 enfants.

Installez un chauffage aux énergies renouvelables

Il est bien sûr possible de combiner plusieurs systèmes différents pour vous chauffer « bio » et « pas cher ». Ceci dit, il vous faudra toujours faire appel à l'électricité pour utiliser les chauffages décrits ci-dessous :

La pompe géothermique

La géothermie consiste à chauffer votre maison en pompant dans le sol la chaleur emmagasinée dans la terre. La pompe à chaleur est constituée d'un circuit fermé et étanche dans lequel circule un fluide à l'état liquide ou gazeux. Ce fluide, c'est le même que celui que contient le circuit de refroidissement de votre frigo : il peut se vaporiser ou se condenser en fonction de la température. La pompe prélève la chaleur du sous-sol de votre jardin, augmente son niveau de température via le fluide, puis restitue une chaleur plus élevée dans votre habitation. Elle permet de chauffer et d'avoir de l'eau chaude, en ajoutant un autre dispositif. Cette pompe à chaleur peut jouer le rôle inverse en été, en rafraîchissant la maison. Une pompe à chaleur géothermique bien dimensionnée peut vous permettre d'économiser jusqu'à 60 % de votre facture de chauffage.

Jusqu'à ces dernières années, le fluide utilisé dans les pompes géothermiques était le R22, un gaz à effet de serre puissant, qui détruit en outre la couche d'ozone. Le R22 est maintenant remplacé par des fluides de substitution, tels les HFC (R407C, R410A et R417A), moins dangereux pour la couche d'ozone et, pour certains, présentant un effet de serre plus faible.

Les panneaux solaires

Installés le plus souvent sur les toits, ils permettent d'avoir de l'eau chaude et de chauffer votre maison à partir de l'énergie solaire. Ils coûtent plus cher qu'un chauffe-eau classique (entre 3 000 et 5 000 euros pour un chauffe-eau solaire, équipé de 4 m² de capteurs et d'un ballon de 200 à 300 litres destiné à servir 3 à

4 personnes). C'est donc un investissement à faire, mais qui sera remboursé en 10 ans par la différence de consommation d'électricité. Certes, un fort ensoleillement est préférable mais rien n'interdit le chauffe-eau solaire n'importe où en France. Ainsi un chauffe-eau solaire de 4 m^2 dans le Nord-Pas-de-Calais, qui ne bénéficie pourtant que de 1 500 h de soleil par an, produit 50 % des besoins d'eau chaude d'une famille de 4 personnes.

SUBVENTIONS

Les panneaux solaires, les générateurs hydrauliques, les éoliennes, les pompes à chaleur, les chaudières au bois ou aux produits dérivés du bois sont subventionnés par l'État. Si vous en avez fait installer, vous pouvez bénéficier pour vos impôts d'une remise de 40 % des sommes dépensées pour l'installation de ces équipements. Cette somme est plafonnée à 8 000 euros pour une personne seule et à 16 000 euros pour un couple marié ou pacsé. Elle peut être majorée en fonction du nombre d'enfants à charge (400, 500, 600 euros par enfant à partir du troisième enfant). Vous la déduirez du montant imposable déclaré sur votre déclaration d'impôts. Si vous n'êtes pas imposable ou si le crédit d'impôt est supérieur à ce que vous devez, vous serez remboursée par chèque. Renseignez-vous : ces équipements peuvent aussi faire l'objet d'aides et de subventions de la part de la région, du département, voire de la commune.

Entretenez votre maison sans polluer

Les détergents de synthèse issus de la pétrochimie font partie de notre quotidien : du liquide vaisselle au gel douche, en passant par le nettoyant ménager de base ou la lessive, ils sont partout ! Ils aident à dissoudre la saleté (et notamment les matières grasses) dans l'eau, par le biais de tensioactifs. Difficile dans ces conditions de vous passer de détergents si du moins vous tenez à votre réputation de fée du logis. Or – petit problème écologique –, ceux-ci, composés d'un mélange d'hydrocarbures et d'acides forts, dispersent des polluants dans l'eau et dans la nature ; parmi ces polluants, les fameux pesticides, qui peuvent dérégler le fonctionnement hormonal des humains et des animaux. Oui, mais voilà : êtes-vous alors condamnée à vivre dans une bauge à cochon, au prétexte de ne pas déverser dans la nature de vilaines substances chimiques ?

Un peu d'éco-culpabilisation (ça n'a jamais fait de mal à personne !)

Un ménage consomme en moyenne 40 kg de lessive et 10 kg de liquide vaisselle par an. En tenant que ces deux produits contiennent des phosphates – ce qui est souvent le cas pour le liquide vaisselle et, dans une moindre mesure, pour les poudres de lessive –, ce ménage rejette alors chaque année 15 kg de phosphates dans l'eau. Une quantité qui suffit pour entraîner dans l'année l'eutrophisation totale d'un étang de plusieurs hectares !

Qu'y a-t-il vraiment dans votre lessive ?

Les lessives sont composées d'une dizaine de produits différents, dont certains sont notoirement polluants : des tensioactifs, bien sûr, des agents de blanchiment, des azurants optiques qui donnent l'impression que le linge est plus blanc, des parfums (ah ! la fraîche odeur de campagne très naturelle de la dernière-née de chez Rhône-Poulenc) et des colorants. Faisons un bref éco-bilan des composants susnommés. Les composants les plus polluants pour l'environnement sont sans aucun doute les tensioactifs cationiques, parmi lesquels on trouve les fameux phosphates. Oui, ceux-là mêmes qui asphyxient cours d'eau et bords de mer, en servant d'engrais aux algues vertes qui prolifèrent au point d'empêcher l'oxygénation de l'eau.

— L'EDTA est un autre tensioactif à mettre à l'amende : difficilement biodégradable, il est aussi très toxique pour le milieu aquatique dans la mesure où il fixe les métaux lourds.

Les agents de blanchiment (les perborates ou les percarbonates) libèrent du bore, toxique pour les plantes aquatiques lorsqu'ils se dégradent.

— Les azurants optiques, soupçonnés par ailleurs d'être cancérigènes et allergisants, se dégradent difficilement et sont toxiques pour les poissons.

— Quant aux divers parfums et colorants de synthèse, qui savent donner au linge cette bonne odeur de propre que nous aimons tant, ils n'ont aucune utilité particulière, si ce n'est celle de faire vendre. Mais ce n'est pas parce que votre linge sent le propre qu'il est propre !

En d'autres termes, il vaut mieux arrêter la lessive classique, pour laquelle il existe des alternatives.

Les produits à éviter

Tout ce qui porte les mentions suivantes :

— « phosphates » (difficilement dégradables, ils sont responsables de la croissance massive d'algues provoquant l'asphyxie des cours d'eau) ;

— « phosphonates » (ils libèrent du phosphore) ;

— « polycarboxylates » (difficilement dégradables) ;

— « EDTA » ;

— « NTA » (dès qu'ils sont rejetés dans la nature, l'EDTA et le NTA3 peuvent facilement se lier aux métaux lourds, présents dans la vase ; ainsi, les métaux lourds se retrouvent libres dans l'eau et peuvent entrer dans la chaîne alimentaire).

○ **L'eau de Javel.** Produit de tradition, que votre grand-mère maniait déjà avec dextérité avant même que les détergents de synthèse n'existent, l'eau de Javel bénéficie d'une très bonne image de marque. Son odeur un peu forte a quelque chose de rassurant : elle tue les vilains germes qui grouillent partout sans même qu'on les voie, vous blanchit le linge comme pas deux et récure impitoyablement les toilettes, le frigo, la baignoire, etc. Qu'en est-il vraiment du point de vue écologique ? L'eau de Javel est-elle vraiment votre amie et surtout celle de l'environnement ? Comme l'indique son odeur si rassurante, l'eau de Javel contient du chlore. Or, le chlore se combine facilement avec certaines molécules pour former des composés toxiques et persistants. Rejetés dans la nature, ces composés, dont certains sont cancérigènes, vont fatalement se retrouver dans la chaîne alimentaire.

○ **Le « sent-bon » de maison.** Vous jetterez sans hésiter, une fois que vous les aurez terminés, toutes vos bombes aérosol et vos divers parfums d'ambiance. Ils contiennent des substances dont l'innocuité n'a pas été prouvée – et c'est là un euphémisme. Et puis, plutôt que d'envoyer encore un peu plus de chimique de synthèse dans l'air, remplacez-les par des plantes d'intérieur. Pour les mauvaises odeurs, mettez un peu de bicarbonate de soude dans une soucoupe que vous placerez près de la poubelle ou dans votre réfrigérateur. Dans les toilettes, un petit bouquet de lavande. Pour que votre maison sente bon, essayez les diffuseurs d'huiles essentielles.

o **Les produits anti-acariens.** Il y a une alternative gratuite et tout aussi efficace : aérer les pièces de votre maison une dizaine de minutes par jour, éventuellement en secouant les draps dehors.

o **Les produits de nettoyage classiques, la lessive et les lingettes, quel que soit leur usage.**

Composez votre nouvel arsenal « anti-cracra »

Il existe heureusement des alternatives possibles aux produits d'entretien classiques. Ces éléments de substitution sont faciles à se procurer et garantis 100 % écolos.

Remplacez la vilaine lingette et les nettoyants classiques

— **Par des chiffons en microfibres, sans parfum et sans nettoyant.** Vous les trouverez facilement en supermarchés à un prix qui mettra votre porte-monnaie de bonne humeur. Ils sont lavables, ils durent très longtemps et, surtout, ils sont extrêmement efficaces. Il suffit de mouiller légèrement le chiffon, sans mettre de produit, et de le passer là où c'est sale : cuisinière, vitres, W.-C., poussière sur les meubles, traces de doigts sur les murs... Je nettoie ma salle de bains uniquement ainsi et de façon plus efficace qu'avec un produit. Le chiffon enlève toutes les traces d'eau. Il existe aussi des chiffons en microfibres pour les sols.

Remplacez les produits d'entretien pour sols et surfaces diverses

— **Par du savon noir** (prenez celui pour la maison, pas celui pour vous gommer le corps au hammam !) en bidon, achetable en Biocoop ou par Internet. Il est fabriqué avec de la potasse obtenue à partir de cendre de bois et d'un corps gras, le plus souvent végétal. Il est entièrement biodégradable et non toxique. C'est un très bon nettoyant multi-usages. 1 à 2 cuillérées à soupe de savon noir liquide mélangées à de l'eau chaude suffisent pour laver vos sols non vitrifiés.

— **Par du simple vinaigre d'alcool** (c'est celui qui est blanc). Choisissez le moins cher dans votre supermarché. Le vinaigre est un bon désinfectant et un détartrant efficace. Vous pouvez l'utiliser pur. En revanche, ne l'utilisez pas sur du marbre !

— **Par des cristaux de soude (carbonate de soude).** Ils enlèvent la graisse et les taches, désinfectent. Enfin, c'est un excellent adoucissant d'eau (1 ou 2 cuillerées à café dans la machine à laver le linge, par exemple). Attention ! ne les utilisez pas sur l'aluminium. Vous en trouverez facilement en supermarchés, même si tous n'en proposent pas. Et là encore, ça ne vous ruinera pas !

— **Par du bicarbonate de soude.** Il remplace les produits à récurer et permet de désodoriser. Vous le trouverez en pharmacie, où il est néanmoins vendu plus cher qu'ailleurs. J'en ai aussi trouvé au rayon « sel » du supermarché, sous la marque Cérébos, ou au rayon « pâtisserie ». S'il y a une droguerie près de chez vous, il est fort probable qu'elle en vende. La difficulté consisterait plutôt en l'occurrence à trouver une droguerie...

À noter : ne confondez pas ces deux produits avec la soude caustique, celle qui sert à déboucher les lavabos et qui est très toxique et dangereuse.

— **Par des huiles essentielles pour faire le ménage.** Vous les utiliserez pour faire vos propres produits ménagers, à raison d'une vingtaine de gouttes pour 500 ml :

○ Citron

○ Eucalyptus

○ Girofle (désinfectant)

- ○ Lavande

- ○ Menthe poivrée

- ○ Pin

- ○ Sapin

- ○ *Tea tree* (désinfectant)

- ○ Thym (désinfectant)

GARE AU BORAX ! . . . .

Certains conseillent le borax comme produit de nettoyage alternatif. C'est effectivement un produit biodégradable et efficace. Cependant, c'est aussi un agent chimique très irritant, à manier avec précaution. Pour cette raison, je ne l'utilise pas. Il ne sera donc pas mentionné dans mes conseils.

. . . .

Remplacez votre lessive

— **Par du savon de Marseille en paillettes.** Si vous n'en trouvez pas, rien de plus simple : vous râperez vous-même un cube de savon de Marseille, avec un économe ou une râpe à fromage. Attention ! je ne parle pas ici du savon de Marseille vendu en supermarchés, mais du seul vrai et unique, celui qui contient au moins 72 % d'huile d'olive (ou de coprah, ou de palme) et qui le prouve : c'est marqué dessus ! Ceux qui sont vendus en grandes surfaces sont fabriqués industriellement : ils contiennent des matières grasses (y compris animales) et divers additifs comme des conservateurs, des colorants, des anticalcaires etc. Vous le trouverez à bas prix en Biocoop, sur Internet ou dans une vraie savonnerie.

— **Par du bleu de méthylène** (pour le blanc uniquement). Pour remplacer les azurants optiques, vous pouvez mettre quelques gouttes de bleu de méthylène dans le bac à adoucissant, avec du vinaigre.

— **Par des noix de lavage.** J'ai découvert ça il y a un an : à adopter d'urgence ! Ces noix proviennent d'un arbre qui pousse en Inde, et leur coque contient des saponines (oui, c'est de là que vient le mot *savon*). Il suffit de mettre

6 coques de noix dans votre machine avec quelques gouttes d'huile essentielle (lavande, citron, ylang-ylang...) pour laver votre linge. Difficile de faire plus écolo. Ça lave bien, mais ça ne sent presque rien, malgré l'huile essentielle. On en trouve facilement sur Internet et en Biocoop, pour un prix de revient inférieur à votre lessive habituelle.

Attention ! c'est la coque qui contient les agents lavants, pas l'intérieur de la noix ; si donc on vous vend des noix complètes, qui évidemment pèsent plus lourd que les simples coques et font grimper le prix, poussez un gros soupir, puis changez de vendeur.

— **Par des balles de lavage.** À acheter en Biocoop ou sur Internet. Elles remplacent l'adoucissant, l'odeur en moins.

Adoptez quelques recettes de base

À la place de la lessive

150 g de savon de Marseille en paillettes ou un cube de savon de Marseille râpé

4 gouttes d'huile essentielle de lavande

3 litres d'eau bouillante

Diluez dans un bidon le savon avec l'eau bouillante. Attendez 2 h pour mélanger, puis agitez le bidon avant d'ajouter l'huile essentielle. Secouez le tout pour bien mélanger. Utilisez 1 verre de ce mélange (à secouer avant chaque lessive) pour chaque machine que vous faites.

À la place du liquide vaisselle

Recette A

Râpez du savon de Marseille dans une casserole. Couvrez d'eau et laissez à feu doux jusqu'à complète dissolution. Ajoutez un peu de vinaigre. Vous n'avez plus qu'à verser le tout dans votre ancienne bouteille de liquide vaisselle.

Recette B

Mélangez dans cet ordre-là 1 cuillerée à café de bicarbonate de soude et 1 cuillerée à soupe de vinaigre blanc. Si vous voulez que votre liquide vaisselle mousse, ajoutez du liquide vaisselle écologique. Si cela vous est égal, ajoutez simplement 1 cuillerée à soupe de cristaux de soude. Remplissez doucement le flacon d'eau et ajoutez 15 à 20 gouttes d'huile essentielle de pin ou de citron avant d'agiter.

Produit écolo pour lave-vaisselle

Vous pouvez mélanger votre poudre classique avec des cristaux de soude, à proportion égale, et remplacer l'agent de rinçage par du vinaigre.

À la place des produits ménagers

Pour laver les vitres

Vaporisez de l'alcool à 60° mélangé à de l'eau et essuyez avec un chiffon en microfibres.

Pour laver les sols

Diluez 3 cuillerées à soupe de savon noir dans 5 litres d'eau chaude et ajoutez-y 10 gouttes d'huile essentielle de citron. Vous devrez ensuite rincer. Ne l'utilisez pas pour un sol vitrifié : le savon noir est un bon décapant !

Recette magique pour fabriquer un bionettoyant multi-usages

1 pain de savon de Marseille

4 litres d'eau

1 flacon d'huile essentielle d'eucalyptus

1 verre de vinaigre

1 jus de citron

Râpez le savon que vous ferez fondre à feu très doux après l'avoir couvert d'eau. Lorsqu'il a fondu, retirez la casserole du feu et ajoutez le jus de citron, le vinaigre, l'huile essentielle et l'eau. Mélangez bien et mettez en flacon(s). Vous pouvez ajouter de l'eau pour diluer si le tout vous semble trop compact.

Réglez les petits problèmes de plomberie

Si votre baignoire a du mal à se vider : prenez 1 verre de bicarbonate de soude que vous mélangerez avec 1 verre de sel fin ; mettez 3 cuillerées à soupe de ce mélange dans la tuyauterie, à faire suivre d'eau bouillante si possible vinaigrée. Cela enlèvera aussi les odeurs. À faire une fois par semaine, si votre plomberie n'est plus trop performante.

Évitez les déboucheurs liquides, hypertoxiques

Dans un premier temps, essayez la ventouse, même si, d'après mon expérience, cela ne marche jamais. Si vous avez un siphon dont la partie inférieure se dévisse, dévissez, après avoir mis une cuvette sous le siphon.

En cas d'échec, versez dans le siphon 1 poignée de cristaux de soude, 1 verre de sel, 1 verre de vinaigre, ventousez pour remuer le mélange, attendez 30 mn, versez de l'eau bouillante, ventousez.

Choisissez l'électroménager *ad hoc*

Pour vos appareils électroménagers, mieux vaut ne pas acheter d'occasion : les modèles récents consomment beaucoup moins d'électricité et utilisent beaucoup moins d'eau. Regardez l'étiquette et prenez plutôt les équipements de classe A. Ils sont certes plus chers à l'achat que les autres, mais ils consomment moins. Il existe des appareils classés A+ (lave-linge, réfrigérateurs et congélateurs) et même A++ (réfrigérateurs et congélateurs), encore plus performants. Ils sont au moins deux fois moins gourmands en énergie que les autres.

Un frigo optimal

Attention au givre... 0,5 cm de givre augmente la consommation de votre frigo de 30 % et plus. Pensez à dégivrer !

Installez si possible votre frigo et votre congélateur loin d'une source de chaleur. Dans l'idéal, il faudrait les mettre dans une pièce non chauffée.

Les plats chauds ou tièdes ne doivent pas être mis au réfrigérateur. Et encore moins dans un congélateur.

Pas de sèche-linge !

On ne trouve pas de sèche-linge de classe A en France. Si vous n'en avez pas un besoin impératif, évitez d'avoir un sèche-linge, qui consomme deux fois plus qu'une machine à laver. Préférez le séchage naturel : il est gratuit et ne consomme pas d'électricité !

Si vous souhaitez tout de même en utiliser un, le tambour doit être bien rempli et le linge bien tassé : vous devez néanmoins pouvoir passer votre poing dans le haut du tambour.

Un lave-vaisselle éco

Les modèles récents consomment moitié moins d'eau qu'il y a 10 ans : 12 litres d'eau pour faire une vaisselle (contre une vingtaine pour une vaisselle à la main). 80 % de l'énergie consommée par un lave-vaisselle sert à chauffer l'eau : donc, moins il utilise d'eau, moins il consomme d'énergie. Choisissez le programme « éco » pour réduire encore la consommation.

Mettez du vert dans votre maison !

Mettez des plantes vertes chez vous ! Et pas seulement parce qu'elles font joli : certaines d'entre elles absorbent les produits toxiques qui se trouvent dans la maison. En voici quelques-unes, que vous n'hésiterez pas à mettre chez vous, un peu partout :

L'azalée

Elle neutralise l'ammoniac qui se trouve dans moult produits dégraissants et de nettoyage. Vous la placerez dans la cuisine, la salle de bains ou les toilettes.

Le chrysanthème

Cette plante d'extérieur n'est pas *a priori* destinée à orner votre salon. Pourtant, vous pouvez ponctuellement l'utiliser en intérieur à cause de la propriété suivante : il absorbe le trichloréthylène, substance utilisée dans les peintures et les solvants. Si vous venez de repeindre chez vous, sans avoir utilisé de peinture bio, rentrez vos chrysanthèmes !

Le ficus

Cette plante d'intérieur type a la particularité de neutraliser le formaldéhyde. Oui, oui, cette substance cancérigène qui se retrouve un peu partout dans une maison : dans les mousses d'isolation, dans la colle à moquettes, mais aussi dans les vêtements nettoyés à sec ou dans les cosmétiques... Sous ses airs de plante sans relief, votre ficus mérite donc que vous en preniez soin.

Le philodendron

Il absorbe le pentachlorophénol, dit « PCP », dont j'ai parlé plus haut et qui est utilisé pour traiter le bois. Si vous l'installez dans une pièce chauffée, il pourra humidifier l'air : avec ses grandes feuilles, il dégage beaucoup de vapeur d'eau.

Le chlorophytum

Il absorbe le monoxyde de carbone et le formaldéhyde – ce qui en fait un très bon dépollueur d'air.

Le lierre

Il élimine le benzène qui est un solvant fréquemment utilisé dans les peintures, les encres, les matières plastiques ou les détergents. Vous pouvez en installer partout dans la maison, d'autant que le lierre est vraiment une plante facile à vivre !

Les « dévoreuses » de composés organiques volatils

— Aglaonema

— Aglycone

— Chrysanthème

— Clivia

— Dieffenbachia

— Dracaena

— Ficus

— Kentia

— Lierre

— Phalangère

— Sansevière

— Spathiphyllum

I. Choisissez toujours des matériaux le moins transformés

Pour construire une maison bio, utilisez des matériaux tant que faire se peut d'origine locale.

2. Reconnaissez les matériaux bio

Ils doivent provenir de ressources renouvelables et exiger peu d'énergie pour être produits. Par ailleurs, ils doivent être non toxiques et facilement recyclables.

3. Préférez les peintures bio

O.K. ! elles sèchent moins vite que les autres et sont plus chères à l'achat. À vous de surfer sur le Net pour négocier les prix !

4. Choisissez du bois écologiquement correct

Pour les bois intérieurs, prenez, par exemple, des bois traités aux sels de bore.

5. Privilégiez certaines essences

Les bois de chêne, de châtaignier, de mélèze ou de cèdre sont plus résistants que le bois de sapin.

6. Boycottez les bois exotiques, du genre teck

Que ce soit pour faire le sol de votre salle de bains ou pour la déco, ces essences sont à proscrire pour des raisons écologiques évidentes : déforestation des zones tropicales, transport depuis des contrées lointaines générant du CO_2 supplémentaire...

7. Sachez orienter votre maison

L'orientation de votre maison est un critère essentiel : en profitant au mieux de la lumière et de la chaleur naturelles, vous dépenserez moins d'énergie pour vous chauffer et vous éclairer.

8. Exigez le label

Si vous comptez faire installer un chauffe-eau solaire, vérifiez bien que l'artisan auquel vous faites appel adhère à la charte *Qualisol*. La pose de ces panneaux exige en effet plusieurs sortes de savoir-faire et vous limiterez ainsi les risques de malfaçon.

9. Installez un système solaire photovoltaïque

Il transforme l'énergie solaire en électricité, pour augmenter votre autonomie énergétique. Vous pouvez soit consommer l'électricité produite, soit la revendre à EDF.

10. Pensez aux petits gestes simples du quotidien

Pour vous éviter d'avoir à déboucher évier, douche, baignoire et lavabo : achetez une petite grille en métal prévue à cet effet, que vous placerez sur le trou d'évacuation. Elle sert tout simplement de filtre et empêche les cochonneries diverses d'être évacuées avec l'eau. Pour celles qui bouchent régulièrement la douche après quelques shampooings, c'est radical !!!

11. Détartrez votre machine à laver sans polluer

Pour cela, mettez 1 litre de vinaigre dans votre machine et laissez-la tourner sans linge en programmant un cycle de lavage et de rinçage à 60 °C. Répétez l'opération régulièrement, tous les 2 ou 3 mois.

12. Entretenez « bio »

Pour l'entretien de votre maison, choisissez des produits respectueux de l'environnement.

13. Dites non aux frigos américains

Ils distribuent des glaçons, mais consomment 3 fois plus qu'un appareil classique !

14. Faites brûler de l'encens

Très efficace pour faire fuir les mauvaises odeurs des toilettes. Encore mieux : achetez de l'encens indien, provenant du commerce équitable.

15. Surfez sur le Web

Internet est le meilleur moyen d'acheter des matériaux bio, encore peu accessibles dans le réseau commercial classique.

chapitre 7

Comment se nourrir « écolo »

Pourquoi changer votre façon de manger ?

Faut-il vraiment reparler des sujets qui fâchent ? La vache folle (tiens, on l'avait presque oubliée, celle-là !), les poulets à la dioxine, les pesticides retrouvés dans les aliments, et tant d'autres choses encore... Par le biais de l'industrialisation, l'alimentation des pays riches a subi des transformations phénoménales en très peu de temps. Et grâce à ce changement, en Occident, tout le monde mange à sa faim, même les plus défavorisés. En même temps, l'expérience a prouvé que ce que l'on mange peut avoir des conséquences préjudiciables sur notre santé... et sur celle de nos enfants. C'est déjà un argument de poids pour s'intéresser au contenu de notre assiette. Par ailleurs, la nourriture « agro-industrielle » est à l'origine de graves dommages environnementaux. L'agriculture et l'élevage intensifs sont partout pointés du doigt, devant l'industrie : pollution de la terre et de l'eau par pesticides et nitrates, réduction de la biodiversité pour cause de culture intensive, élevages en batterie... Privilégier une autre façon de manger, c'est donc aussi encourager un autre mode de culture, une autre relation à l'environnement. Et puis, pour finir, c'est tout simplement une question de goût : les produits les moins transformés et les produits bio sont plus savoureux que les autres. En plus de ne pas contenir d'additifs divers et pas toujours identifiés.

Où faire vos courses ?

Les grandes surfaces : résoudre un cas de conscience

Cette spécialité bien française, qui transforme le coin le plus charmant en hideuse zone commerciale, est une plaie purulente. Les conditions de travail des employés y sont souvent catastrophiques, les produits vendus sont le fleuron de l'alimentation « industrielle », le client est traité comme un rat dans un labyrinthe. Ajoutons qu' esthétiquement, c'est une horreur. Et pourtant, j'aime à me promener dans les allées de mon hyper-supermarché, poussant allègrement mon Caddie entre une promotion sur les produits italiens et la semaine du blanc qui s'annonce. J'ai l'impression d'avoir tout ce que je veux à disposition : c'est ce qu'on doit appeler « le plaisir de la consommation ». Plutôt difficile à assumer pour quelqu'un qui se targue d'avoir la fibre écolo...

Pour résoudre ce cas de conscience, il suffit de suivre quelques règles simples

Règle n° 1 : lorsque j'ai le choix entre des commerçants de quartier et une grande surface, je privilégie toujours les premiers. Ceci dit, certains produits, du type cristaux de soude et vinaigre blanc, ne se trouvent pas forcément chez mon boucher-charcutier. Auquel cas, j'ai une bonne excuse pour retourner hanter les allées du Leclerc.

Règle n° 2 : je n'achète que ce dont j'ai besoin et pas ce que je peux trouver ailleurs. Par exemple, je n'y achète pas de produits frais, comme les fruits et légumes (presque toujours de qualité médiocre), la viande ou les fromages. Et je ne me rue pas sur les promos, sous prétexte que ce sont des promos.

Règle n° 3 : je n'achète aucun produit suremballé, je boycotte tout ce qui est vendu dans une barquette en polystyrène (qui bizarrement contient souvent des fruits ou légumes bio...) ou en dérivés du pétrole.

Les commerçants de proximité : privilégier la qualité

À cultiver sans complexes, à condition que leurs produits soient de qualité, bien sûr. Vous pouvez vous permettre de leur poser des questions sur la provenance de ce qu'ils vendent – ce qui n'est pas totalement anodin : savoir d'où vient la viande de bœuf de votre boucher préféré, par exemple, et les conditions d'élevage. Les fruits et légumes du marchand de primeurs, qui en province propose nécessairement des produits issus de l'agriculture locale, ont souvent plus de saveur que les tomates calibrées et totalement dépourvues de goût du supermarché.

Le marché : suivre le cours des saisons

Le marché présente un avantage précieux : il permet à la production locale d'être bien visible. Ainsi, il n'y a pas trente-six questions à se poser sur l'origine des carottes et des patates vendues à l'étal du pépé du coin. En fréquentant régulièrement le marché de votre quartier, vous finirez par trouver les marchands qui vous conviennent : le fermier (bizarre comme ce mot donne l'impression d'un temps révolu) qui vient de sa campagne vendre son beurre et sa crème, le fromager passionné par ses produits, le producteur bio qui vend ses tomates... En province, vous trouverez sans problème les petits producteurs et éleveurs qui vendent sur les marchés. Vous pouvez facilement vérifier où ils sont implantés et dans quelles conditions ils travaillent.

ACHETEZ EN SUIVANT LES SAISONS . . . .

— Au printemps : artichaut, asperge, chou, petit pois, radis, salade (laitue, scarole), fève, chou-fleur...

— En été : ail, aubergine, oignon, pomme de terre, haricot vert, melon, pastèque, poivron, salade, tomate, carotte, brocoli, courgette...

— En automne : brocoli, carotte, céleri, échalote, champignon, potiron, navet...

— En hiver : avocat, céleri, endive, mâche, poireau, topinambour, salade, chou de Bruxelles, pomme de terre, carotte...

Les magasins bio : raison garder

Forcément, avoir la fibre un tant soit peu écolo incline à pousser la porte d'un magasin bio. Mes expériences en la matière m'ont pourtant laissé une impression bizarre. Car qui dit « bio » dit souvent aussi « discours stéréotypé, fascination pour des idées un peu fumeuses » (« Si je ne mange que des graines germées, je n'aurai jamais le cancer »), et « paranoïa latente » (« Si je mange une tomate non bio, je mourrai immédiatement dans d'atroces souffrances »). Disons-le : le bio draine derrière lui des gens dont la problématique dépasse celle de la préservation de l'environnement. Il n'y a qu'à voir toute la littérature disponible sur place sous forme de prospectus divers et variés, vendant tel stage de développement personnel par la naturothérapie ou l'interprétation des rêves. Le bio – ne l'oublions pas – n'est ni une religion, ni une secte. C'est avant tout et essentiellement une autre façon de cultiver la terre et de pratiquer l'élevage. Le bio, c'est la seule alternative à l'agro-industrie intensive et à tout ce qu'elle entraîne. Voilà ce qu'il faut garder en tête.

Pour ce qui est des produits, j'achète en Biocoop exclusivement des produits alimentaires « secs », comme la farine (complète, évidemment !), le sucre ou les produits d'entretien bio. Là où j'habite, le nombre peu suffisant de clients qui fréquentent le magasin ne permet pas, la plupart du temps, un réapprovisionnement fréquent en fruits et légumes. En conséquence de quoi, on les achète un peu vieux (et un peu hors de prix aussi...). Pour les denrées fraîches, je préfère donc le marché et les maraîchers du cru.

Tout ce que vous avez toujours voulu savoir sur les produits bio

Un aliment bio n'est pas un aliment diététique. C'est un produit issu de l'agriculture biologique, qui interdit absolument l'usage d'engrais, d'herbicides, d'insecticides et de fongicides de synthèse. Les sols sont fertilisés par des engrais végétaux, les « nuisibles » et les maladies sont traités par diverses méthodes et par des produits d'origine naturelle. Les OGM (organismes génétiquement modifiés) sont bien entendu proscrits. Les conditions de culture sont strictement définies : un agriculteur ne pourra pas du jour au lendemain se lancer dans le bio. Il devra d'abord commencer par « nettoyer » sa terre en la laissant 2 ou 3 ans sans rien y apporter. Le tout sous le contrôle d'organismes agréés qui délivrent le seul label bio en France, désigné par le logo « AB ».

Les viandes bio. Elles sont, elles aussi, soumises à une législation et des contrôles très stricts : les animaux doivent être obligatoirement élevés sans hormones, sans antibiotiques, et sans farines animales. Leur nourriture doit être constituée de fourrage frais ou sec d'origine végétale ou biologique à 90 % et de compléments nutritionnels essentiellement naturels : vitamines, oligo-éléments, fibres...

Les plats préparés, conserves, glaces et vins. Estampillés « AB », ils ne doivent contenir ni composants chimiques (conservateurs, émulsifiants, colorants, acidulants) ni composants transgéniques.

Des chiffres. Fin 2004, la France comptait 11 059 exploitations pratiquant l'agriculture biologique sur 534 037 ha, soit 1,93 % de la surface agricole française. Il ne tient qu'à vous de faire progresser les choses en matière d'agriculture bio !

Identifier un produit bio

En France, un produit bio se reconnaît exclusivement au logo « AB » (agriculture biologique) ou au logo européen portant la mention « agriculture biologique », qui garantissent qu'il est bien issu de sols n'ayant reçu aucun apport chimique de synthèse pendant au moins 2 ans. Attention ! vous trouverez très facilement des produits portant des mentions du genre « exempt de pesticides », « naturel », « traditionnel », « sans traitement après récolte ». L'écologie (surtout alimentaire !) étant dans l'air du temps, les producteurs seraient bien bêtes de ne pas surfer sur la vague. Ces mentions « écolos » n'ont pourtant rien à voir avec le bio et n'offrent strictement aucune garantie. On peut les considérer comme de simples arguments de pub. Quant aux poulets « fermiers », et aux divers gallinacés « élevés en plein air », méfiez-vous-en ! Ces termes n'ont aucun sens tant qu'ils ne sont pas accompagnés du label « AB ». J'ai eu un jour l'occasion de voir de près une poule « élevée en plein air » : elle avait la chance d'être avec toutes ses copines bien serrées dans un hangar ouvert d'un côté. En batterie, certes, mais aérée tout de même...

Le bio, sans pesticides ?

L'agriculture bio interdit l'usage d'engrais et de pesticides. Pourtant cela ne suffit pas pour que les produits bio en soient totalement préservés. Un agriculteur peut respecter à la lettre les principes de la culture bio, il n'en profitera pas moins des eaux de pluie polluées qui ruissellent ou des pesticides issus des champs voisins, qui sont, eux, traités chimiquement. Cependant, s'ils ne sont pas toujours exempts de ces résidus de produits phytosanitaires, c'est dans des quantités très nettement inférieures aux produits courants. Enfin, il faut souligner que les produits biologiques contiennent moins de nitrates, grâce aux engrais organiques qui ont remplacé les engrais chimiques.

Le bio, sans métaux lourds ?

Pour ce qui est de la contamination par des métaux lourds, il faut souligner que ce problème dépend des sols et non de la nature de l'exploitation. Les risques sont donc équivalents, surtout dans des régions industrialisées, comme l'Île-de-France.

LES ADDITIFS AUTORISÉS EN ALIMENTATION BIOLOGIQUE

Colorants	Acidifiants	Conservateurs et antioxydants	Épaississants	Anti-agglomérants	Gaz d'emballage
E 170	E 330	E 290	E 400	E 500	E 938
	E 333	E 296	E 401	E 501	E 941
	E 334	E 300	E 402	E 503	E 948
	E 335	E 306	E 406	E 504	
		E 322	E 407	E 516	
		E 330	E 410	E 524	
		E 333	E 412		
		E 334	E 413		
		E 335	E 414		
		E 336	E 415		
		E 341	E 416		
			E 440		

Les produits à éviter

Pour « bien » manger, il suffit de se rappeler cette simple règle : les produits les moins transformés sont souvent les meilleurs. Évitez donc, tant que faire se peut, tous les plats déjà préparés, que vous les trouviez au supermarché ou chez votre traiteur. Ils proviennent en droite ligne de l'industrie agroalimentaire (eh oui, même votre traiteur y a recours, sans s'en vanter bien sûr) et sont fabriqués avec des méthodes qui, même si elles ne comportent aucun danger du point de vue de l'hygiène, n'en laissent pas moins une drôle d'impression... Ainsi, le poisson peut-il être artistiquement « reconstitué » à partir d'une pâte faite de poudre de protéines issues de poisson mélangée à de l'eau. À ce compte, autant acheter directement un vrai poisson...

De plus, ces plats cuisinés en vente chez le traiteur, au rayon « frais », ou « surgelés » contiennent moult additifs (colorants, conservateurs, antioxygènes, stabilisants, arômes artificiels, édulcorants, exhausteurs de goût, agents de texture, etc.) dont l'innocuité n'est pas nécessairement prouvée.

À propos des additifs

Il circule depuis les années 1970 une soi-disant liste des additifs toxiques, émanant de l'hôpital de Villejuif. On y apprend ainsi que l'additif E 330 est le plus dangereux – ce qui fait sourire lorsqu'on sait que ce code désigne l'acide citrique, contenu dans le jus de citron. Cette pseudo-liste a été remise au goût du jour par Internet, et de nouveau la rumeur va bon train, suite aux différents scandales alimentaires des dernières années. Il est difficile de se renseigner précisément sur la dangerosité des additifs. Leur code peut cacher des produits très anodins d'origine naturelle ou des substances de synthèse soupçonnées d'être allergènes, voire cancérigènes.

VOUS AVEZ DITS « ADDITIFS » ?

Additifs à éviter :

E220, E221, E222, E223, E224, E225, E226, E227, E250, E251, E252, E270, E290, E311, E312, E320, E321, E338, E339, E340, E341, ferrocyanure de sodium, ferrocyanure de potassium, manganitrile de fer.

Additifs allergisants :

E102, E105, E110, E120, E123, E124, E125, E126, E330, E331, E332, E333.

Additifs cancérigènes :

E123, E142, E210, E211, E212, E213, E214, E215, E216, E217, E218, E236, E237, E238, E239.

· ·

Les sulfites

Ce sont des conservateurs à base de soufre. Ils correspondent aux additifs de E221 à E228. Chez l'animal, les sulfites provoquent des irritations de l'appareil respiratoire et des troubles de la circulation sanguine. On les trouve dans les fruits séchés, dans le vin et les boissons alcoolisées : ce sont eux qui vous donnent mal à la tête le lendemain de la soirée « sangria » de votre copine Sandra.... Par ailleurs, on pense qu'ils accentuent les allergies, notamment chez les asthmatiques.

Attention aux charcuteries !

Les charcuteries contiennent deux types de conservateurs : les nitrates (E251, E252) et les nitrites (E249, E250). Ceux-ci sont inoffensifs en soi, sauf lorsqu'ils sont combinés à certaines protéines animales : ils favorisent alors l'apparition de substances cancérigènes, les nitrosamines. Or – cela ne vous a pas échappé –, les charcuteries contiennent précisément des protéines animales et des nitrates... De récentes études ont ainsi mis en évidence un taux élevé de nitrosamines dans quelques produits de charcuterie comme le lard, le bacon ou le salami. Chez l'animal, les nitrosamines entraînent des tumeurs cancéreuses ; chez l'homme, on ne sait pas encore si l'estomac permet la formation de ces substances. Dans le doute, mieux vaut donc s'abstenir. Avant d'acheter vos charcuteries, regardez bien la composition. Et ne pensez pas échapper au problème en achetant à la coupe : les produits contiennent les mêmes conservateurs, mais vous n'avez pas le recours de le vérifier, puisqu'ils sont sans étiquette.

« Vous reprendrez bien un peu de poulet irradié ? »

 Peu de gens le savent et pour cause, mais l'exposition de certains aliments à des substances radioactives est un procédé de stérilisation légal et pratiqué en France. Évidemment, on ne vous le dira pas comme ça. Non, on vous parlera de « processus électronique » ou de « pasteurisation à froid » – ce qui ne fait pas tout à fait le même effet que le mot d'*irradiation*... Quant au logo censé signaler ce type d'aliments non seulement il est très rassurant (sincèrement, qui verrait du nucléaire derrière ?), mais en plus il n'est presque jamais utilisé. Revenons à ces produits, qui ont donc subi une irradiation par rayons gamma ou rayons bêta. On le sait bien, le vivant résiste mal au rayonnement radioactif : pourquoi donc ne pas utiliser cette méthode pour mieux conserver et décontaminer certains aliments ? Et voilà cuisses de poulet, basilic, verveine et oignons soumis à un rayonnement ionisant de 200 à 2 000 fois supérieur à la dose mortelle pour l'homme, émanant de cobalt ou de césium... Il est sûr qu'à ce compte-là, germes, insectes et autres petites saletés n'y survivent pas. Le problème, c'est qu'ils ne sont pas les seuls à succomber : l'irradiation détruit au passage une grande partie des vitamines, notamment vitamines A, B1, C et E. Mais là n'est pas le pire. Elle fait aussi apparaître, dans les aliments contenant des graisses, de nouveaux composés chimiques qui n'existent pas à l'état naturel, dont certains sont cancérigènes. L'alkylcyclobutanone en fait partie. Elle se trouve uniquement dans les aliments irradiés, et les chercheurs ont toutes les raisons de penser qu'elle a des effets nocifs sur la santé des êtres humains. Dès les années 1960, il a été montré que les animaux soumis à une diète composée d'aliments irradiés voyaient leur durée de vie réduire. Par ailleurs, ils souffraient d'une diminution du taux de globules rouges, de lésions intestinales, d'une baisse de la fertilité et de modifications génétiques. Sans oublier une augmentation significative du risque de cancer...

La Belgique, la France, l'Italie, les Pays-Bas et le Royaume-Uni sont les pays européens qui pratiquent le plus l'irradiation. En France, cela concerne les herbes aromatiques surgelées, les oignons, l'ail, les échalotes, les légumes et les fruits secs, les flocons et germes de céréales pour produits laitiers, la farine de riz, la gomme arabique, la volaille, la viande de poulet, les abats de poulet, les cuisses de grenouilles congelées, le sang séché, le plasma, les crevettes congelées décortiquées ou étêtées, les blancs d'œufs, la caséine.

Alors, comment savoir si un aliment est irradié ?

En l'absence de contrôle et de signalisation, c'est donc à vous de vous débrouiller pour repérer les produits « à risques ». Pour cela, un critère peut vous aider : l'irradiation coûte cher ; il est donc peu probable qu'elle soit utilisée sur des produits courants et bon marché, comme les oignons et les pommes de terre. En revanche, les champignons, les fruits d'été proposés en hiver (comme les fraises) ou les fruits exotiques sont susceptibles d'être irradiés. Surtout s'ils proviennent de pays qui utilisent ce procédé sans limites comme le Brésil, le Ghana, l'Afrique du Sud, la Thaïlande ou les Philippines. Les crustacés, le thé, les herbes qui entrent dans la composition de plats préparés ou de certaines saucisses ou fromages sont aussi souvent irradiés. Le bœuf produit en Europe n'est « normalement » pas irradié. Ce qui n'est pas le cas aux États-Unis, où le procédé est courant pour la viande rouge...

À signaler : selon un rapport de la Commission européenne, en 2002, 29 % des compléments alimentaires étaient irradiés...

Éviter les produits raffinés

Les céréales

Le raffinage des céréales consiste à enlever les enveloppes adhérant au grain, qui « blanchit » après ce traitement. Or, les éléments que l'on enlève sont riches en protéines, en fibres, en minéraux et en vitamines, notamment celles du groupe B. Par ailleurs, le raffinage des céréales augmente leur taux d'amidon et donc leur valeur calorique. Alors, plutôt que de manger des céréales raffinées que vous complétez avec du son, mangez directement des céréales complètes !

Le sucre : non raffiné, forcément !

Ce que nous appelons du « sucre », qui est en réalité du sucre blanc raffiné, n'est que du saccharose et rien d'autre. Ce « sucre » que nous connaissons s'obtient à partir de canne à sucre ou de betterave sucrière, qui subissent divers traitements chimiques, lesquels ne font pas vraiment envie. Le produit de base, broyé ou trempé dans de l'eau chaude, est traité à la chaux éteinte, puis clarifié (*défécation* est le terme technique utilisé !) avec de l'anhydride carbonique et de l'anhydride sulfureux. Il est ensuite décoloré avec du suffoxylate de sodium et raffiné par divers réactifs chimiques... Au terme de toutes ces sympathiques opérations, le saccharose est isolé de tous les autres nutriments pour devenir le morceau de sucre que nous mettons dans notre café.

Les nutriments éliminés lors du raffinage sont des protéines et surtout des vitamines, minéraux et oligoéléments (réservés, sous forme de mélasse, à la consommation animale).

En conclusion : achetez plutôt du sucre complet, portant l'intitulé « sucre de canne complet ». Obtenu par évaporation du jus de la canne à sucre, il se présente sous l'aspect d'une poudre très compacte, sans cristaux, de couleur marron très foncé. Ce vrai sucre contient de nombreux minéraux et oligoéléments – notamment du magnésium et du fluor. Par ailleurs, son goût n'a strictement aucun rapport avec celui du sucre blanc : disons simplement qu'il en a, lui !

Attention ! ce qui est vendu en grandes surfaces comme du sucre de canne roux n'est peut-être que du sucre blanc... teinté ! Pour éviter l'arnaque, tournez-vous vers les produits du commerce équitable. Vous serez sûre d'y trouver du véritable sucre de canne. Là encore, choisissez celui qui est le moins raffiné.

Le sel

Le sel blanc est en réalité du sel raffiné. Le sel marin gris, riche en minéraux et en oligoéléments, a en effet le « défaut » de s'humidifier au contact de l'air – ce qui rend sa conservation plus difficile. Pour pouvoir être conservé plus longtemps, il est donc traité par des procédés chimiques pour isoler le chlorure de sodium. Ensuite, sont incorporés des additifs chimiques pour le rendre blanc et sec.

À privilégier : le gros sel gris naturel, le sel fin gris naturel et la fleur de sel. Ces présentations peuvent être enrichies en algues marines et en herbes aromatiques.

À éviter : le sel blanc enrichi en ceci ou cela et autres oligoéléments. Là encore, autant acheter directement du sel gris...

Les huiles végétales

Les méthodes de raffinage des huiles végétales sont encore moins ragoûtantes que ce qui précède. Il faut savoir que l'huile peut être extraite soit par pression mécanique, soit par réaction chimique. Or, ce dernier procédé fait appel à des solvants...

L'huile vierge est obtenue en broyant les fruits mécaniquement (olives, noix, noisettes, tournesol...), sans traitement ultérieur, à part un filtrage destiné à éliminer les particules. La pression doit se dérouler « à froid », c'est-à-dire sans que les fruits soient chauffés. D'où l'expression figurant sur la bouteille « huile vierge première pression à froid ».

L'huile raffinée, qui est celle que l'on trouve le plus couramment, est obtenue par chauffage des fruits à plus de 1 000 °C. Or, le fait de chauffer un corps gras modifie sa composition chimique, qui devient très différente de celle du corps gras originel contenu dans la plante. Le produit ainsi obtenu est ensuite soumis à l'action de solvants provenant de la distillation du pétrole, comme l'hexane. Toutes les huiles qui ne portent pas la mention « vierge » ou « extraite par pression » sont obtenues selon ce procédé chimique. L'huile ayant quelque peu perdu ses couleurs dans l'histoire, elle sera recolorée en fin de parcours pour tout de même ressembler à ce qu'elle est censée être.

Les conséquences du raffinage : la vitamine E est détruite, les acides gras insaturés contenus dans les fruits subissent une transformation de leur structure moléculaire. Ils favorisent la formation du mauvais cholestérol.

LISEZ BIEN LES ÉTIQUETTES !

— L'« huile d'olive raffinée » ou « huile pure d'olive raffinée » est obtenue avec les procédés de raffinage décrits ci-dessus. À éviter donc.

— L'« huile pure d'olive » est un mélange d'huile d'olive vierge et d'huile d'olive raffinée.

— L'« huile vierge de... » provient exclusivement du produit oléagineux désigné. Elle est obtenue sans aucun traitement chimique ni opération de raffinage.

— L'« huile de... » a en revanche subi les opérations de raffinage.

Où acheter des fruits et des légumes bio ?

Comme je l'ai dit plus haut, les primeurs vendues en magasin bio ne sont pas forcément au maximum de leur fraîcheur lorsque vous les achetez. Celles qui sont vendues en supermarché présentent pour leur part deux inconvénients : elles sont souvent importées et elles sont emballées et présentées dans des barquettes en plastique ou en polystyrène. Deux bonnes raisons de ne pas les acheter là. Il existe heureusement un autre moyen de vous procurer fruits et légumes bio, moins cher que si vous les achetiez au marché. Passer par le réseau des Amap (association pour le maintien d'une agriculture paysanne), le réseau Cocagne, les campaniers sont autant de façons différentes d'acheter bio.

Les AMAP (Associations pour le maintien d'une agriculture paysanne)

Apparues il y a 4 ans en France (le système existe au Japon depuis l'après-guerre), les AMAP associent un groupe de consommateurs et un maraîcher, très souvent bio. Le principe est fondé sur la solidarité : vous achetez à l'avance à un producteur bio une partie de sa récolte, que celle-ci soit bonne ou mauvaise, et pendant 6 mois vous recevez un panier de fruits et légumes bio par semaine.

En adhérant à une AMAP, vous choisissez avec l'agriculteur les légumes à cultiver et le prix que vous allez payer par mois. Vous mettrez également au point la façon dont vous allez récupérer vos fruits et légumes, en fixant un lieu, des horaires qui resteront les mêmes. Les prix sont basés sur les frais réels de l'agriculteur, et non pas sur les cours du marché. On compte environ 80 AMAP en France ; il y en a bien une près de chez vous... Et s'il n'y en a pas, vous pouvez en créer une. Une option pour les plus motivées uniquement, étant donné l'investissement en énergie et en temps que cette démarche exige.

Les Jardins de cocagne

Ce sont des jardins associatifs qui produisent des légumes bio, tout en faisant un travail d'insertion sociale. Les « jardiniers » sont des personnes en difficulté, à qui les Jardins de cocagne proposent à la fois une formation et un travail. Les adhérents à l'association, qui sont aussi les consommateurs, reçoivent leurs paniers bio hebdomadaires tout en permettant ainsi à d'autres de retrouver un emploi.

Sur Paris, les Jardins de cocagne et des producteurs bio de la région Centre sont regroupés via « Les Paniers du Val de Loire ». La seule contrainte des Jardins de cocagne : il faut s'engager sur 1 an. Vous pouvez faire un essai de 4 semaines avant de vous décider. Une belle idée, mais il n'y en a pas partout en France (voir coordonnées dans « Adresses utiles »).

Les Campaniers

Contrairement aux formules évoquées ci-dessus, le Campanier est une entreprise de distribution de primeurs bio, et non pas une association. En vous abonnant, vous recevez dans un point de livraison un panier bio par semaine, contenant aussi des recettes. Les fruits et légumes peuvent être importés ; le choix est donc plus large que chez un producteur local. Bon, en même temps, vous n'avez pas la satisfaction morale d'œuvrer pour le lien social et la solidarité avec le monde paysan (*www.campanier.com* et *info‹le campanier.com*).

Pour les plus motivées : le conseil engagé

Adhérez à une AMAP, voire fondez la vôtre (voir coordonnées dans « Adresses utiles) ! Ça, c'est de la vraie action concrète et engagée ! À tour de rôle, vous serez responsable de la distribution hebdomadaire de fruits et légumes, que vous organiserez. Vous devez aussi être en relation avec l'agriculteur, assurer la permanence de la distribution, bref : participer activement à la vie de l'association. Il ne s'agit donc pas simplement d'aller chercher son panier bio. Le degré d'implication qui est demandé fait donc toute la différence entre le fait d'adhérer à une AMAP et celui de vous abonner au Campanier. L'AMAP vous demandera un plus grand investissement en temps et exige d'avoir la fibre un tantinet militante. Quant à monter vous-même une association de ce genre, c'est encore un degré de plus dans l'engagement : vous devrez trouver un agriculteur qui vous convienne et qui accepte le contrat, aller « à la pêche » aux adhérents et mettre en place toute l'organisation de distribution...

I. Limitez les visites au supermarché

Utilisez Internet pour limiter les transports. Un conseil qui vaut, entre autres, pour les produits d'entretien et la lessive bio, qui ne se trouvent pas facilement dans le commerce.

2. Faites vos courses au fur et à mesure

1/4 de ce que l'on achète finit à la poubelle (ou sur le tas de compost !). Essayez de limiter les courses importantes en produits frais pour éviter de gâcher.

3. Préférez systématiquement les produits issus du commerce équitable

Ceci vaut pour le café, le sucre, le thé et le chocolat. Vous pouvez aussi les acheter dans les magasins « Artisans du monde ». C'est un tantinet plus cher, mais ils ont bien meilleur goût et sont souvent cultivés « bio ».

4. Faites preuve de bon sens

Si vous habitez à proximité d'une grande surface, il est presque plus écologique d'y aller à pied que de prendre votre voiture pour aller au magasin bio situé à 12 km de là...

5. Méfiez-vous de certains produits importés

Ils peuvent avoir été irradiés : en Afrique du Sud, au Brésil et à un degré moindre en Turquie, quasiment tous les aliments peuvent être irradiés. Ce qui nous permet de boire sans le savoir des jus d'orange à base de concentrés passés au cobalt 60...

6. Limitez la viande

La production de 1 kg de viande demande 4 à 5 kg d'aliments pour nourrir le bétail. Et 38 % des surfaces cultivées en céréales dans le monde sont consacrées à la nourriture pour le bétail.

7. *Idem* pour le poisson

Les fonds marins, surexploités par la pêche industrielle, s'épuisent. Les espèces vivant en profondeur, comme la morue, le merlu, le merlan, la sole, le grenadier, ont vu leur population diminuer dramatiquement ces dernières décennies.

8. Préférez les poissons d'élevage, bio si possible

C'est le meilleur choix si vous tenez à manger quand même du poisson. Le saumon fumé bio, par exemple, a incomparablement plus de goût que son collègue non bio.

9. Choisissez bien votre huile végétale

Les critères à retenir sont éventuellement le label « AB » et à coup sûr la façon dont l'huile a été produite. Prenez toujours une huile vierge « première pression à froid » : elle est nutritionnellement de bien meilleure qualité et ne fait pas appel à l'industrie chimique.

10. Faites vos yaourts avec la yaourtière de maman...

Ils se font en un clin d'œil en mélangeant un yaourt du commerce et 1 litre de lait ; vous pouvez faire 8 yaourts dans des pots lavés et réutilisables.

11. ... ou avec la Cocotte-Minute de mamie

Faites réduire le lait dans la cocotte et laissez-le refroidir jusqu'à 45 °C. Ajoutez quelques cuillerées de yaourt et mettez dans les pots. Replacez-les dans la cocotte bien fermée (mais pas sur le feu !) pendant plusieurs heures, puis au frigo.

12. Variez les plaisirs

Pour remplacer les protéines animales, vous pouvez consommer des céréales (blé, riz, boulgour...) en les associant à des légumineuses et légumes riches en protéines végétales (lentilles, soja, haricots rouges ou blancs, fèves).

13. Découvrez la machine à pain

Elle mélange, pétrit et cuit toute seule le pain. En utilisant de la farine intégrale, vous pouvez ainsi faire vous-même votre pain entier.

14. Mangez du miel

Tous les miels (sauf accident ou manipulation après récolte) sont bio ; les abeilles ne supportent ni la pollution ni les produits toxiques ; lorsqu'elles butinent des fleurs « polluées », elles meurent en cours de route ou sont rejetées à l'entrée de la ruche.

15. Dites non au caviar !

Les additifs de la famille des acides benzoïques et dérivés, indiqués par les codes E210 à E218, sont soupçonnés d'être cancérigènes. On les trouve dans les crevettes et le caviar.

chapitre 8

Comment être belle au naturel

Pourquoi utiliser des produits naturels ?

Pourquoi vous lancer dans la « biocosmétique » option « C'est moi qui l'ai fait à la maison » alors qu'à chaque coin de rue on vous propose des produits déjà tout faits, qui allient les miracles de la « technologie de pointe » aux multiples bienfaits de la « nature » ?

Première réponse : parce que c'est moins cher. Entre un tube de shampooing à 10 euros (normal, il est au rhassoul !) et du rhassoul « brut » à 5 euros le kilo que vous utiliserez aussi comme shampooing, le calcul est vite fait. Et je vous épargnerai la comparaison des prix pour démaquillant / huile d'amande douce, teinture pour cheveux / henné, etc... Contrairement aux cosmétiques classiques, les produits dont je parle ici ne vous ruineront pas.

Deuxième réponse possible (qui va avec la première) : parce que l'industrie cosmétique nous vend souvent cher des produits pas toujours utiles et à l'efficacité toute relative. Sont ici visés explicitement toutes les crèmes antirides, les gels raffermissants, et autres laits anti-radicaux-libres, qui ont surtout comme effet immédiat d'alléger notre porte-monnaie. Sans prétendre me débarrasser de mes imperfections physiques, ni me transformer en top-modèle, les produits que j'utilise font preuve d'une efficacité certaine. Ce qui veut dire qu'ils se limitent exactement à ce que je leur demande : le shampooing lave les cheveux, l'huile hydrate et nourrit, le savon nettoie la peau. Et qu'en plus, j'ai du plaisir à m'en servir.

Troisième réponse : parce que les cosmétiques classiques contiennent essentiellement des composants dérivés du pétrole. Pour ma part, cela me gêne un peu de m'en enduire la figure ou le corps. D'autant qu'en agissant ainsi, je contribue au maintien d'une industrie ostensiblement polluante. Voilà pour la conscience éco-politique de la paresseuse de base !

Enfin, c'est un vrai bonheur de ne pas obéir aux ordres de Claudia Chou-fleur et du monsieur qui la paye pour qu'elle fasse vendre ses produits.

Petite précision de vocabulaire

Les produits dits « naturels » ne le sont pas plus que les vilains produits « chimiques », dans la mesure où ils sont exactement comme eux issus de transformations opérées par l'homme. L'huile d'olive « première pression à froid », c'est étonnant, mais ça n'existe absolument pas dans la nature. *Idem* pour les huiles essentielles, les huiles végétales et tout ce qu'on nous vend comme étant « naturel », alors qu'il s'agit de produits manufacturés. Pas plus naturels que les autres, donc, les divers ingrédients que je vais citer présentent néanmoins un avantage : ils entraînent moins de dommages sur l'environnement (et éventuellement sur la santé des humains) que les produits de synthèse. Ce qui en soi constitue déjà une bonne raison de les utiliser.

Que contiennent vos produits de beauté ?

Il faut commencer par là si vous voulez transformer votre trousse de toilette en endroit écologiquement correct ! L'INCI (International Nomenclature of Cosmetic Ingredients), obligatoire depuis 1998, vous indique la composition des produits de beauté qui hantent votre salle de bains et vos fantasmes de perfection... C'est l'outil qui vous permettra d'avoir une base pour évaluer ce que contient votre crème de jour, même si dans un premier temps vous vous sentirez profane en la matière : les noms des composants sont écrits en anglais ou en latin s'il s'agit de plantes. À moins d'avoir votre licence de biochimie en poche, tout cela risque de ne pas trop vous parler...

Des repères pour vous y retrouver

De quoi est composé votre crème préférée ?

— Un excipient

Il s'agit de la base du produit. C'est une substance « neutre », qui permet de recevoir, de transporter et de maintenir en bon état une substance active incorporée dans le produit cosmétique. L'excipient représente en effet près de 80 % du produit. Les ingrédients de base d'une crème peuvent être des huiles minérales, des silicones ou des huiles d'origine naturelle.

— Des huiles minérales

Ce sont en réalité des paraffines dérivées du pétrole... Les huiles minérales, comme par exemple la *paraffinum liquidum*, sont composées de chaînes d'hydrocarbures qui ne peuvent pas être absorbées par l'épiderme. Du point de vue dermatologique, l'intérêt est nul. Par ailleurs, une étude de l'OMS montre qu'elles peuvent être stockées dans l'organisme et endommager le foie.

La vaseline (*petroleatum*), l'huile minérale (*paraffinum liquidum*), l'ozokérite, et la cérésine proviennent des hydrocarbures.

— Des huiles et cires de silicone

Ce sont elles qui sont le plus utilisées. Il s'agit de substances entièrement synthétiques dérivées du silicium. La *dimethicone* est l'une des matières premières les plus utilisées dans les crèmes, les rouges à lèvres et les soins capillaires. Les huiles de silicone sont appréciables du point de vue dermatologique. Pour ce qui est de l'écologie, en revanche, elles sont sujettes à caution, car elles sont très peu biodégradables et nocives pour l'environnement.

— Des huiles végétales

Contrairement aux huiles de paraffine, les huiles et graisses végétales possèdent des propriétés dues aux agents actifs importants qu'elles contiennent. Les huiles d'olive, d'amande, de noisette, de noyau d'abricot sont riches en acide oléique. Les huiles de tournesol, de pépin de raisin, d'argan, de sésame, de bourrache et d'onagre sont riches en acide linoléique.

— Des huiles animales

Ce sont surtout des huiles de poissons.

— D'autres graisses végétales

Le beurre de karité, l'huile de coco, l'huile de palme.

Des principes ou agents actifs

Ce sont eux qui donnent leurs propriétés particulières aux cosmétiques. Par exemple, les substances hydratantes ou les filtres solaires protecteurs sont des agents actifs, tout comme les vitamines. Ils représentent au grand maximum 20 % du produit. Sur le plan purement quantitatif, la plupart de ces substances actives représentent en réalité un infime pourcentage (0,1 voire 0,0... %), alors même que la publicité se fait un devoir de nous les présenter comme la partie essentielle du produit ! Méfiez-vous donc des mentions du type « aux agents actifs naturels de ceci ou de cela » : en y regardant de près, vous verrez que la part de produit « naturel » relève bien souvent de l'infinitésimal. La contenance réelle en principes actifs naturels est souvent inversement proportionnelle à la publicité qui en est faite !

Des additifs

Ils servent à stabiliser et à conserver le produit cosmétique, par nature très périssable. Les conservateurs comme les antioxydants sont des additifs. Voici quelques additifs de synthèse, que l'on trouve dans toutes les crèmes classiques (évitez les produits qui en contiennent) :

Des conservateurs

— Le phénoxyéthanol

Il s'agit d'un éther de glycol, toxique pour le système reproducteur.

— Le formaldéhyde

Il est autorisé comme conservateur dans les cosmétiques à hauteur de 0,2 % maximum (sauf pour les dentifrices avec 0,1 % et pour les produits en aérosol où il est interdit). De nombreux produits cosmétiques en contiennent parce qu'il est utilisé comme conservateur des autres ingrédients. Il est classé comme cancérigène pour l'homme. On le retrouve aussi dans certains matériaux de construction et d'isolation.

— Les parabens

Le propylparaben, le butylparaben et l'isobutylparaben ont des effets toxiques sur l'appareil reproducteur. Ces substances pourraient être interdites prochainement dans les cosmétiques par les autorités européennes. On les trouve dans les déodorants, les crèmes pour le visage...

— L'iodopropyl butylcarbamate

C'est un conservateur qui libère de l'iode lors de son utilisation – ce qui augmente le risque potentiel de troubles de la thyroïde. Vous ne devriez pas en trouver dans une crème.

— Le methyldibromo glutaronitrile

C'est un conservateur qui provoque des allergies.

Des sigles à connaître pour décrypter la composition de vos produits de beauté

SLS

Ce sigle désigne les tensioactifs, que l'on retrouve quasiment dans tous les produits ménagers et cosmétiques : ce sont des détergents et des émulsionnants, qui ont l'intéressante propriété de mousser. Ils peuvent être d'origine naturelle ou synthétique.

Les plus utilisés sont le sodium-laureth-sulfate ou le sodium-lauryl-sulfate : d'où le nom de SLS. Leur défaut : ils peuvent être responsables d'irritations cutanées et allergiques au niveau de la peau, des yeux et des muqueuses.

À noter : ne confondez pas le sodium-lauryl-sulfate avec le lauryl-sulfate et le disodium-laureth-sulfate. Ces deux substances sont des tensioactifs d'origine naturelle, tirés de l'huile de coco ou de l'huile de palme, tout comme la bétaïne.

PEG

Ce sont des polyéthylenglycols, obtenus à partir de gaz de combat réactifs et toxiques, dont la manipulation est dangereuse. À éviter, donc.

MEA, DEA et TEA

Il s'agit respectivement de la monoéthanolamine, de la diéthanolamine et de la triéthanolamine, substances soupçonnées d'être cancérigènes.

BHT et BHA

Ce sont des antioxydants qui, à haute dose, peuvent avoir des effets cancérigènes sur l'estomac. C'est d'ailleurs la raison pour laquelle ils sont interdits dans les produits alimentaires.

Les autres composants de vos produits de beauté

Les composés organo-halogénés

Ce sont des conservateurs de synthèse. À éviter.

Les composés musqués présents dans les parfums

Ces substances odorantes artificielles très stables se fixent dans les tissus. Elles seraient cancérigènes. Un rapport publié par Greenpeace indique les parfums qui en contiennent à taux élevé.

Sels d'aluminium

Il est fort probable que votre déodorant en contienne. Les chercheurs soupçonnent que les sels d'aluminium pourraient se fixer dans certains organes dont le cerveau, favorisant l'apparition de la maladie d'Alzheimer.

Le triclosan

C'est un bactéricide, dont l'innocuité fait actuellement débat. On le trouve dans de nombreux produits, dont les dentifrices et les déodorants.

Les amines aromatiques

Ce sont des substances toxiques qui peuvent être absorbées par la peau.

LIRE L'INCI
. . . .

Les composants de votre crème de jour sont répertoriés sur l'emballage dans un ordre prédéterminé. Ce sont les premiers composants indiqués qui constituent l'essentiel du produit. Les colorants sont notés en fin de liste sous la dénomination CI (Color Index) suivie d'un nombre de cinq chiffres (correspondant aux couleurs). Pour les produits de maquillage, les colorants sont inscrits entre crochets.

À *noter* : le signe +/– signifie que ces colorants ne sont peut-être pas tous présents dans le même produit.
. . . .

Comment savoir si votre crème est écologiquement correcte

Toutes les compositions commencent par *Aqua* (eau). Regardez ensuite si le composant *Aqua* est suivi par la référence à une huile végétale.

Je vous indique ici les noms latins des huiles utilisées en cosmétique :

— *Ricinus communis* (huile de ricin)

— *Persea gratissima* (huile d'avocat)

— *Prunus dulcis* (huile d'amande douce)

— *Vitis vinifera* (huile de pépin de raisin)

— *Calendula officinalis* (huile de calendula)

— *Olea europaea* (huile d'olive)

— *Cera alba* (cire blanche)

— *Cera flava* (cire d'abeille)

— *Simmondsia chinensis* (huile/cire de jojoba)

— *Theobroma cacao* (beurre de cacao)

— *Butyrospermum parkii* (beurre de karité)

— *Sodium stearate* ou *Triglyclycerides caprylic/capric* (obtenus à partir d'huiles végétales)

— Etc.

Fuyez, en revanche, si vous voyez aux premières places de la liste les indications suivantes :

— *Paraffinum liquidum*

— *Petroleatum*

— *Ozokerite*

— *Cera microcristallina*

— *Hydrogenated polyisobutene*

Les produits à éviter

Voilà la liste, malheureusement non exhaustive, des composants qu'il vaut mieux éviter. Si vous en repérez dans la composition de votre déodorant *Fleurs de prairie* ou de votre shampooing *Trois en un*, changez-en :

— *Paraffinu liquidum*

— *Dimethicone* (ou autres ingrédients se terminant par *thicone*)

— Sodium-laureth-sulfate

— Sodium-lauryl-sulfate

— Ammonium-laureth-sulfate

— BHT

— BHA

— EDTA

— *Carbomer*

— *Etidronic acid*

— PEG

— PPG

— DEA

— MEA

— Triclosan

— Glycéreth

— Laureth

— 2-bromo-2-nitropropane-1,3-diol

— 5-bromo-5-nitro-1,3-dioxane

— Formaldéhyde

— Lodopropynyl

— Aluminium-chlorydrate, ou chlorohydrex, ou sesquichlorohydrate, ou zirconium-trichlorydrex-GLY

— *Benzalkonium chloride*

— *Benzethonium chloride*

— *Benzophenone*

Comment composer votre nouvelle trousse de beauté

Maintenant que vous avez fait un semblant de ménage dans votre salle de bains, il va vous falloir trouver des produits de beauté plus écolo... Voici ce qu'il vous faut :

— **Des huiles et des cires végétales,** de préférence avec la mention « bio » (huiles d'amande douce, de jojoba, de noisette, d'argan...).

— **Des huiles essentielles,** que vous utiliserez avec précaution. Vérifiez d'abord que leur usage n'est pas contre-indiqué (si vous êtes enceinte, par exemple). Choisissez ensuite celles qui portent la mention « bio ».

—— **Des eaux florales** (les hydrolats). Elles remplaceront avantageusement les lotions pour le visage que vous utilisez. Vous pouvez les faire vous-même ou les acheter toutes faites. Là aussi, il est possible de les trouver aux rayons alimentaires. L'eau de fleur d'oranger, l'eau de rose, que vous trouverez dans toute épicerie arabe, vous reviendront moins cher là qu'au rayon « cosmétiques » d'une parapharmacie.

—— **Diverses argiles,** comme le rhassoul, l'argile verte, rose, rouge ou blanche. Riches en minéraux et oligoéléments, elles sont particulièrement bon marché. Achetez-les de préférence sous leur forme « brute », plutôt que prêtes à l'emploi. Elles se conservent plus longtemps et coûtent moins cher.

—— **Du vinaigre de cidre,** pour vos cheveux.

Et les biocosmétiques tout faits, alors ?

Il est prévisible qu'une paresseuse pose la question... Et c'est vrai que les biocosmétiques représentent une alternative intéressante pour les accros des produits de beauté. Alors, qu'est ce qu'un biocosmétique ?

La particularité d'un produit bio vient à la fois de la qualité des ingrédients utilisés et du processus de fabrication. Les biocosmétiques excluent les parfums, les colorants et conservateurs de synthèse. Ils ne contiennent ni produits de synthèse (huiles essentielles reconstituées, émulsifiants, antioxydants) ni aucun produit issu du pétrole. Pour finir, aucun des composants qu'ils contiennent n'a subi d'irradiation ionisante.

Enfin, leur emballage est recyclable et non polluant. Comme on peut s'en douter, ces produits écolos se passent de tests sur les animaux, de même qu'ils n'utilisent pas de composants issus d'animaux en voie d'extinction.

Le label bio

L'association « Nature et Progrès » délivre le label « Cosmétique bioécologique ». Celui-ci garantit que le produit ne contient pas de produits, de parfums ni de colorants de synthèse.

Écocert délivre les labels « Cosmébio éco » et « Cosmébio bio ». Le premier garantit 50 % minimum d'ingrédients végétaux certifiés bio sur le total des ingrédients végétaux. Le second garantit 95 % minimum des ingrédients végétaux certifiés bio sur le total des ingrédients végétaux. Ces labels incluent d'office l'absence de tests sur animaux.

Signalons aussi le BDIH, organisme allemand très sérieux regroupant des fabricants de cosmétiques naturels.

QUELQUES BIOMARQUES DE COSMÉTIQUES AISÉMENT TROUVABLES :

— Weleda
— Sanoflore
— Lavera
— Logona
— Sante
— Florame
— Avalon
— Melvita
— Dr Haushka
— La Drôme provencale
— Couleur-Caramel
— Argiletz
— Centifolia
— Douce Nature
— Les Douces Angevines
— Primaveralife

Les nouveaux ingrédients que vous allez utiliser

Les plantes : comment les choisir et les utiliser ?

Les plantes sont riches en principes actifs. Vous vous les procurerez de préférence en herboristerie ou dans un magasin de diététique.

L'infusion

Vous versez de l'eau bouillante sur la plante et vous laissez infuser entre 10 et 20 mn. Une infusion peut se conserver au réfrigérateur pendant 48 h maximum.

La décoction

La décoction s'applique essentiellement aux racines et aux écorces de certaines plantes, comme la réglisse, la saponaire, les racines de ginseng, l'écorce de bois de panama. Cette méthode consiste à laisser « infuser » les plantes dans de l'eau froide que l'on porte ensuite à ébullition. Vous les déposez donc dans une casserole, puis vous les couvrez d'eau froide. Portez ensuite à ébullition et laissez le tout sur le feu pendant une vingtaine de minutes. Le liquide doit avoir réduit de 1/3. Retirez du feu, puis laissez infuser (et refroidir) pendant 1 h, avant de filtrer. Vous pouvez conserver une décoction pendant 3 jours au réfrigérateur.

Un savon végétal : la décoction de saponaire

Les racines de saponaire contiennent la plus grande part des principes actifs de la plante. Comptez 60 g de racines par litre d'eau pour votre décoction. Celle-ci peut être employée comme shampooing ou comme savon.

Les huiles essentielles

Les huiles essentielles, mises à l'honneur par l'aromathérapie, concentrent l'essence de la plante, c'est-à-dire son parfum. Les plantes fraîches plongées dans l'eau bouillante laissent évaporer leurs composés aromatiques. C'est donc par distillation que l'on obtient les huiles essentielles. De ce fait, celles-ci n'ont aucun rapport avec les huiles végétales que nous connaissons, puisqu'elles ne sont pas grasses. Leur efficacité tient au fait qu'elles sont très concentrées en principes actifs. C'est précisément la raison pour laquelle vous les utiliserez avec précaution : elles peuvent se révéler toxiques si vous les utilisez mal.

Bien utiliser les huiles essentielles

Les huiles essentielles peuvent être prises par voie interne ou par voie externe. Pour ce qui concerne la biocosmétique, seul l'usage externe est pris en compte. Je n'évoquerai donc que cet aspect-là.

Quelques gouttes dans le bain. 6 à 10 gouttes suffisent. Si vous mélangez plusieurs huiles, ne dépassez pas le nombre de 6 gouttes. Tenez compte également de la « puissance » de l'huile essentielle que vous utilisez : une huile forte, comme celle de la menthe poivrée, sera versée dans l'eau du bain en moindre quantité qu'une huile douce, comme celle de la lavande. Comptez 3 à 4 gouttes pour la menthe, contre une dizaine pour la lavande.

Diluée dans de l'huile végétale. Lorsque vous utilisez une huile essentielle par voie externe, diluez-la toujours dans de l'huile (amande douce, germe de blé...) et évitez d'en mettre près des yeux. Vous l'utiliserez en l'appliquant simplement sur la peau ou en massage.

N'utilisez jamais l'huile essentielle pure en application externe, notamment sur le visage, sous peine de provoquer rougeurs et irritations.

Les huiles végétales

Vous les choisirez bio, bien sûr, pour être sûre de leur qualité et du fait que les plantes dont elles sont issues sont cultivées dans des conditions qui respectent l'environnement. Vérifiez également qu'elles sont extraites par « première pression à froid ». Vous les conserverez-les à l'abri de la lumière, de l'humidité, loin d'une source de chaleur. Certaines d'entre elles peuvent être achetées au rayon « alimentation » moins cher.

Trouvez celles qui vous conviennent !

Elles n'ont pas toutes les mêmes propriétés : prenez en compte votre nature de peau pour fixer votre choix.

L'huile d'amande douce. L'indispensable base ! Vous pouvez l'utiliser pour vous ou même pour votre bébé, puisqu'elle convient à toutes les peaux. Elle atténue les vergetures, les gerçures ou les crevasses. Elle s'applique aussi sur les pointes sèches des cheveux.

L'huile d'argan. Elle convient aux peaux desséchées par le soleil, le vent, ou le froid. Elle fortifie les ongles.

L'huile d'avocat. Pour les peaux sèches et dévitalisées. C'est un bon anti-rides, que vous pouvez aussi utiliser comme crème pour les mains ou comme masque capillaire, si vous avez les cheveux secs.

L'huile de bourrache. Idéale pour les peaux sèches. C'est un bon anti-rides, qui atténue aussi les vergetures. On la recommande pour les ongles cassants et les cheveux secs. Vous l'utiliserez en la mélangeant à environ 5-10 % dans de l'huile d'amande douce ou de l'huile de macadamia.

L'huile de coco. Très grasse, l'huile de coco est extraite du coprah. Elle sert surtout à assouplir les zones les plus sèches du corps. Je l'utilise à vrai dire exclusivement sur les cheveux, à toute petite dose (elle est vraiment très grasse !). Il s'agit d'un beurre qui se présente sous forme solide comme un amas blanchâtre. Il faut la faire fondre avant de l'utiliser.

L'huile de jojoba. Elle a des propriétés nourrissantes, hydratantes et adoucissantes. Elle est particulièrement conseillée pour les peaux des bébés. Bon antirides, l'huile de jojoba convient aussi bien aux peaux grasses qu'aux peaux sèches. *Idem* pour les cheveux.

L'huile de macadamia. Recommandée aux peaux fragiles. Vous pouvez l'utiliser pour atténuer les vergetures et pour nourrir vos cheveux. Elle ne laisse pas de couche grasse sur la peau.

L'huile de noyau d'abricot. Parfaite pour les épidermes dévitalisés, flétris ou ternes. Elle retarde le vieillissement de la peau.

L'huile d'onagre. Elle prévient le vieillissement de la peau et s'utilise aussi pour les cheveux et les ongles. Vous pouvez l'employer en la mélangeant dans de l'huile de macadamia ou de l'huile d'amande douce, en comptant 1 dose d'huile d'onagre pour 10 doses d'huile d'amande douce.

L'huile de rose musquée. Elle est connue pour être un excellent anti-rides. Elle traite également les cicatrices et les vergetures. Si vous avez une tendance à faire de l'acné, attention ! elle peut provoquer une petite poussée. Comme pour les huiles de bourrache et d'onagre, vous pouvez l'associer à l'huile d'amande douce ou de macadamia, en comptant 1 dose d'huile de rose musquée pour 10 doses d'huile d'amande douce.

L'huile de millepertuis. C'est un bon après-soleil, puisqu'elle soigne entre autres les brûlures légères. Attention ! ne l'employez pas avant de vous faire bronzer, votre épiderme risque de ne pas apprécier : l'huile de millepertuis est photosensibilisante.

L'huile de carotte. C'est plus particulièrement une huile « d'été », à utiliser pour prolonger et entretenir son bronzage. Très riche en vitamine A, c'est un bon après-soleil qui permet d'apaiser la peau.

Les huiles en vente au rayon « alimentation »

L'huile de germe de blé. Très riche en vitamine E, elle convient à tous les types de peaux et notamment les peaux sèches, comme l'huile d'amande douce. Elle est efficace pour les peaux qui ont tendance à l'eczéma. À *noter* : l'huile de germe de blé est un antioxydant naturel. C'est donc un conservateur efficace, que vous pouvez en tant que tel ajouter à vos préparations de beauté maison.

L'huile de noisette. C'est une huile « sèche », recommandée pour les peaux grasses : vite absorbée par l'épiderme, elle ne laisse pas de film sur la peau. Par ailleurs, elle régularise l'excès de sébum et resserre les pores.

L'huile d'olive. Elle est riche en acides gras essentiels et en vitamines A, B, C et E. Nourrissante et adoucissante, mais aussi très grasse, on l'utilise surtout pour les ongles cassants et les cheveux secs.

L'huile de pépin de raisin. Elles est recommandée pour les peaux grasses.

L'huile de sésame. Elle prévient le dessèchement de la peau. Vous pouvez l'utiliser avant de vous exposer au soleil.

L'huile de tournesol. Elle convient aux peaux sèches et très sèches.

Les argiles

Ce sont des produits que j'aime beaucoup utiliser. Elles sont faciles d'emploi, puisqu'il suffit de les délayer dans de l'eau chaude. Elles sont en outre très bon marché. Il n'y a aucun souci pour les conserver et on peut s'en servir aussi bien pour les cheveux que pour le visage et le corps. Pour clore le tout, elles sont redoutablement efficaces, bien plus que les divers masques de beauté vendus en cosmétiques que j'ai pu essayer. Les argiles sont riches en minéraux et en oligoéléments, comme le silice, le magnésium, le calcium, le fer, le phosphore, le zinc, le sélénium... Vous trouverez de l'argile verte, de l'argile blanche, rouge, rose, ou même jaune. La couleur dépend de leur teneur en fer. Chacune a des propriétés spécifiques.

BIEN UTILISER L'ARGILE

Rien de plus simple : il suffit de la délayer avec de l'eau minérale chauffée jusqu'à l'obtention d'une pâte onctueuse. Les « aventurières » pourront aussi utiliser des eaux florales, du miel, ou des huiles pour délayer leur argile préférée... Vous vous en enduirez ensuite amoureusement le visage ou les cheveux. Laissez poser une vingtaine de minutes, puis rincez à l'eau tiède !

L'argile verte

Pour les peaux normales et grasses. Elle absorbe l'excès de sébum et les impuretés. Vous pouvez aussi vous en servir comme masque capillaire si vous avez les cheveux gras.

Masque purifiant (« spécial peaux grasses »). Dans un bol, mettez 3 cuillerées à soupe d'argile verte en poudre et 3 cuillerées à café d'huile de noisette. Ajoutez un peu d'eau minérale pour obtenir une pâte onctueuse. Appliquez sur le visage, laissez poser 20 mn et rincez.

Shampooing. Mélangez 2 cuillerées à soupe d'argile et 10 gouttes d'huile essentielle de bois de rose. Délayez avec 1 verre d'eau chaude. Laissez poser 10 mn et rincez.

L'argile blanche (le kaolin)

Pour les peaux sèches et fragiles. Vous pouvez vous en servir comme masque capillaire si vous avez les cheveux secs et « mous » ou comme talc pour les fesses de votre bébé !

Masque du contour des yeux. Mélangez 2 cuillerées à soupe d'argile blanche ou rose avec de l'eau de bleuet afin d'obtenir une pâte onctueuse. Laissez poser 10 mn, rincez à l'eau tiède et hydratez.

L'argile rouge

Pour les peaux normales et sensibles. Riche en oligoéléments, elle redonnera du pep's à votre peau.

L'argile rose

Pour les peaux réactives ayant tendance aux rougeurs. Riche en oligoéléments, elle requinque les peaux fragiles.

Le rhassoul

C'est de loin l'argile que je préfère ! C'est une argile fine qui vient du Maroc. Elle dégraisse les cheveux et la peau : c'est donc à la fois un shampooing, un savon, et un masque de beauté. Personnellement, je le considère comme un produit très efficace et hyperagréable à utiliser. Achetez-le « brut » : il se présente sous forme se morceaux de terre gris rosâtre, agglomérée et séchée, souvent discrètement parfumé à l'eau de rose. Il suffit d'en préparer un bol en le délayant dans de l'eau très chaude. Vous vous laverez les cheveux avec la pâte obtenue, en laissant poser 5 mn. Utilisez le reste de la pâte pour vous frotter le corps et le visage. Là aussi, laissez poser le temps qui vous convient. Vous verrez qu'après, votre baignoire sera resplendissante elle aussi !

Mes recettes de beauté, de la tête aux pieds !

Avant d'entamer la liste de mes recettes, quelques mots sur le phénix des hôtes de votre salle de bains : le savon ! Je me vois mal me lancer dans la fabrication maison de savon. C'est un procédé plus compliqué qu'il y paraît, qui exige de manipuler des produits qui ne sont pas totalement inoffensifs. Je préfère donc m'éviter ce travail inutile et acheter tout simplement deux savons totalement écolos, le savon de Marseille et le savon d'Alep, dont je me sers aussi pour me laver les cheveux.

Gel douche

1 savon d'Alep de 200 g
1 litre d'eau
15 gouttes d'huile essentielle de lavande

Râpez le savon et faites-le chauffer doucement avec l'eau dans une casserole. Ajoutez l'huile essentielle et laissez refroidir. Stockez dans un flacon à pompe de préférence. Le gel se conserve plusieurs mois.

Shampooing

Le rhassoul est à mes yeux le meilleur des shampooings. Mais si vous vous en lassez, vous pouvez faire votre shampooing maison – ce qui vous permettra d'alterner. Pour ce faire, prenez comme base le shampooing dont je donne la recette ci-dessous :

Shampooing de base

1/2 tasse d'eau distillée
1/2 tasse de shampooing neutre sans parfum
1 cuillerée à café de sel

Faites dissoudre le sel dans l'eau distillée et ajoutez le shampooing. Mélangez le tout. Vous avez là votre base « shampooinesque », que vous allez pouvoir personnaliser.

Shampooing au citron

Il convient à tous les cheveux et à un usage fréquent.

1 cuillerée à soupe de camomille séchée
3 branches de romarin
2 cuillerées à soupe d'huile d'amande douce
environ 20 gouttes d'huile essentielle de citron
1 cuillerée à café de sel

Laissez infuser la camomille et le romarin au moins 20 mn dans de l'eau bouillante. Filtrez le tout et diluez le sel dans l'infusion. Mélangez l'huile essentielle de citron à l'huile d'amande douce, ajoutez le shampooing de base. Versez ce mélange dans un flacon et ajoutez l'infusion. Agitez.

Shampooing au rhassoul

1/2 jus de citron
3 cuillerées à soupe d'eau de rose
1 cuillerée à soupe de henné
1 cuillerée à soupe d'huile d'olive
1 poignée de rhassoul
de l'eau tiède

Mélangez tous les ingrédients jusqu'à obtenir une crème onctueuse ; appliquez sur des cheveux mouillés, massez, puis rincez abondamment.

Shampooing pour cheveux ternes

40 g d'écorce de bois de Panama
1 cuillerée à soupe de rhassoul
5 gouttes d'huile essentielle de citron

Faites bouillir pendant 20 mn le bois de Panama dans 1 litre d'eau, filtrez et ajoutez le rhassoul et l'huile essentielle de citron. Lavez-vous les cheveux en laissant poser quelques minutes.

Soin pour les cheveux à base d'huiles végétales

— L'huile d'amande douce calme les démangeaisons du cuir chevelu. Si vos enfants ont des poux, massez-leur la tête avec de l'huile d'amande douce avant le shampooing.

— L'huile d'argan, l'huile d'avocat, l'huile de noyau d'abricot, l'huile de bourrache, l'huile de germe de blé, l'huile d'onagre conviennent aux cheveux secs et cassants.

— L'huile de jojoba convient à tout type de cheveux : elle rééquilibre les cheveux gras et redonne vitalité aux cheveux secs.

— L'huile d'olive et l'huile de coco s'emploient uniquement pour les pointes desséchées.

— L'huile de pépin de raisin convient aux cheveux fins, cassants et abîmés.

COMMENT UTILISER L'HUILE VÉGÉTALE POUR LES CHEVEUX ?

Massez vos cheveux avec l'huile que vous avez choisie. Ramassez-les sur la tête et attachez-les avec une barrette. Vous pouvez aussi placer sur votre tête une charlotte en plastique. Oui, je sais : mieux vaut être seule et n'attendre aucune visite pour procéder à ce genre d'exercice… Vous pouvez laisser 1 h, ou toute la nuit si vous êtes prête à ce sacrifice. Ensuite, lavez-vous les cheveux normalement. À faire une fois par semaine. Pour celles qui n'ont que les pointes d'abîmées, procédez de la même façon, mais exclusivement sur les pointes.

Soin maison pour cheveux fourchus

Mélangez dans un bol 2 cuillerées à soupe de miel liquide avec 5 cuillerées à soupe d'huile d'olive (« première pression à froid », toujours !). Ajoutez-y

2 gouttes d'huile essentielle de romarin. Une fois la préparation mélangée, appliquez-la sur vos cheveux et laissez poser pendant 45 mn. Rincez et faites un shampooing doux.

Pour le visage

Tonique home made

Faites bouillir 1 poignée de fleurs ou de plantes dans 1/4 de litre d'eau minérale. Hors du feu, la lotion doit infuser pendant 15 mn. Filtrez-la et versez-la dans un flacon en verre foncé. Une fois filtrée, vous pouvez la conserver au réfrigérateur pendant 1 semaine.

Si vous avez la peau grasse. Prenez de la lavande, du romarin, de la sauge, du thym, de la menthe, de la rose et de l'hamamélis.

Si vous avez la peau sèche. Prenez de la camomille, du basilic, du souci, de la fleur d'oranger ou encore du tilleul.

Si vous souhaitez raffermir votre peau. Utilisez des plantes comme le bleuet, le cyprès, le souci ou le millepertuis.

Soignez votre regard

Vous venez de passer une heure à pleurer en regardant *La Petite Maison dans la prairie* ? Vous avez des cernes jusqu'au menton, suite à quelques rencontres sportives avec votre nouveau fiancé ? Deux plantes (au choix) s'imposent : la camomille et le bleuet, qui possèdent toutes les deux des vertus décongestionnantes. Il vous suffit de suivre la recette précédente pour obtenir l'eau florale de camomille ou de bleuet. Une fois que la lotion est prête, imbibez-en deux morceaux de tissu que vous appliquerez pendant 10 mn sur les yeux fermés. Ne frottez pas !

CONCOMBRE MASQUÉ

Vous pourrez trouver de nombreuses recettes de masques à faire chez soi, à base de fruits et légumes divers. Après avoir testé, je ne suis pas des plus convaincues : rester 30 mn allongée avec des tomates écrasées sur la figure ou avec une mixture composée de crème fraîche, de carotte râpée et de miel est en soi une expérience limite. Le tout pour un résultat relativement surprenant : oui, effectivement, le masque à la carotte râpée donne bonne mine. Si du moins par *bonne mine* on entend « avoir le teint orange plus plus », comme même les autobronzants première génération n'osaient pas le faire... Bref, il me semble que les vertus des fruits et légumes sont finalement tout aussi performantes lorsque nous les mangeons...

Comment faire des crèmes de beauté maison

Les crèmes et les laits cosmétiques à base de produits issus de l'industrie pétrochimique contiennent divers additifs, dont des conservateurs. Car un pot de crème, c'est un peu le paradis des microbes, des champignons et des bactéries : on y met ses petites mains pleines de doigts pas toujours très propres, et puis on laisse le tout gentiment mariner dans la douce tiédeur de la salle de bains... Les conservateurs sont donc quasi incontournables. C'est d'ailleurs là tout le problème lorsqu'on se lance dans la fabrication de ses produits de beauté maison : ceux-ci ne se gardent pas vraiment et exigent d'être consommés rapidement. D'où ma préférence pour les argiles et les huiles végétales, qui ne posent pas ce genre de difficultés.

Lorsque vous ferez vos potions, congelez-en une partie et ne gardez que la dose suffisante pour les 3 jours à venir. Lavez-vous soigneusement les mains avant d'utiliser la crème et prenez-la avec une spatule plutôt qu'avec les doigts. Le pot de crème sera, quant à lui, entreposé au Frigidaire et non pas dans la salle de bains, trop propice à l'expansion des bactéries !

Les crèmes de beauté

Utilisez des casseroles en inox ou émaillées et des ustensiles en plastique ou en inox. Interdite en revanche la cuillère en bois, pleine de bactéries.

Crème nourrissante

1 cuillerée à café de cire d'abeille en granulés (produit que vous trouverez en pharmacie)
15 ml d'huile d'amande douce
15 ml d'huile de germe de blé
1/2 cuillerée à café de miel
15 ml d'eau de rose (ou d'eau de fleur d'oranger)
3 gouttes d'huile essentielle de rose

Dans un bain-marie, mettez la cire d'abeille, le miel et les huiles. Faites fondre doucement, puis ajoutez l'eau de rose ou de fleur d'oranger en remuant constamment. Retirez ensuite le pot du bain-marie, tout en continuant de remuer à la spatule. Lorsque le mélange aura un peu refroidi, ajoutez-y les 3 gouttes d'huile essentielle de rose et remuez encore afin de bien mélanger les ingrédients. Transvasez dans un petit pot à couvercle vissé et conservez-le au réfrigérateur pendant 3 mois maximum.

Les huiles de beauté

Elles conviendront bien aux paresseuses, pour ce qui est de la préparation du moins : il suffit de mélanger, sans avoir à passer par la case « bain-marie, spatule et compagnie ». Vous pouvez tout à fait les utiliser comme crème de jour et comme base de maquillage.

Ces huiles se fondent sur l'aromathérapie, l'usage des huiles essentielles. Le principe est simple : il s'agit de mélanger une huile végétale et une ou plusieurs huiles essentielles. Vous ne devez pas utiliser la même huile essentielle de façon continue. Vous prendrez donc soin de changer d'huile essentielle une fois votre flacon terminé.

Si vous avez la peau grasse

— L'huile d'amande douce : nourrissante.

— L'huile de noisette : nourrissante, tout en étant légèrement asséchante.

— L'huile de jojoba : régulatrice.

Si vous avez la peau sèche... ou quelques rides

— L'huile d'argan.

— L'huile de jojoba.

— L'huile de germe de blé : cicatrisante, nourrissante.

— L'huile de noyau d'abricot.

— L'huile de bourrache : cicatrisante.

— L'huile d'avocat : très nourrissante.

Pour tous les types de peaux

— L'huile de pépin de raisin.

— L'huile d'olive.

— L'huile d'amande douce.

Si vous avez quelques rides

— L'huile de rose musquée.

QUELLE HUILE ESSENTIELLE POUR VOTRE PEAU ?

— Vous avez la peau sèche : huiles essentielles de géranium, de néroli.

— Vous avez la peau grasse : huiles essentielles de cyprès, de lavande, de mandarine.

— Vous avez la peau mixte : huile essentielle de lavande.

— Vous avez la peau abîmée : huiles essentielles de cèdre, de cyprès, de lavande.
— Tous types de peau : huiles essentielles de cyprès, de géranium, de rose, de sauge sclarée, de camomille, de bois de rose, de niaouli, de palmarosa.

Recette de base

10 ml d'huile végétale, choisie selon votre type de peau (grasse, sèche, normale)
3 gouttes d'huile essentielle, choisie en fonction de votre type de peau
un peu d'huile de germe de blé ou une capsule de vitamine E (Les capsules de vitamine E sont en vente dans les magasins bio. Normalement, elles sont faites pour être avalées, mais vous pouvez les ouvrir pour recueillir ce qu'il y a à l'intérieur. La vitamine E joue le rôle de conservateur naturel et possède par ailleurs des propriétés antirides.)

Dans un flacon en verre opaque, versez l'huile végétale. Éventuellement, vous pouvez mélanger plusieurs huiles végétales, en utilisant l'huile d'amande douce comme base : si vous avez la peau grasse, prenez par exemple 1 dose d'huile de noisette et 1 double dose d'huile d'amande douce ; si vous avez la peau sèche, remplacez l'huile de noisette par de l'huile de noyau d'abricot. Ajoutez le contenu de la capsule de vitamine E, puis les huiles essentielles que vous avez choisies. À utiliser aussi comme une crème de jour.

Huile contre les vergetures

Une huile qui pénètre et hydrate bien la peau en prévention des vergetures.

200 ml d'huile de jojoba
100 ml d'huile de germe de blé
100 ml d'huile de rose musquée

Mélangez les ingrédients et versez dans un flacon de verre opaque. À appliquer matin et soir.

Lait de beauté multi-usages

Une recette facile à faire, qui vous permettra de faire votre propre lait démaquillant, qui sera aussi votre lait pour le corps, qui sera encore votre crème pour les mains. Voire, si vous insistez, votre crème de nuit...

60 ml d'huile végétale, choisie en fonction de votre type de peau
60 ml d'eau de rose ou de fleur d'oranger (ou tout simplement d'eau minérale !)
1 cuillerée à café de cire d'abeille en granulés
5 capsules de vitamine E (ou de l'huile de germe de blé)
6 gouttes d'huile essentielle, choisie en fonction de votre type de peau

Faites fondre la cire d'abeille et l'huile végétale au bain-marie. Dès que la cire d'abeille est fondue, retirez le bol du bain-marie et fouettez le mélange. Ajoutez l'eau de rose peu à peu, comme si vous prépariez une mayonnaise. Toujours en fouettant, ajoutez les huiles essentielles et le contenu des capsules de vitamine E. Pour accélérer le refroidissement de la préparation, placez le bol dans la casserole remplie d'eau froide. Lorsque le lait a atteint une bonne consistance, versez-le dans un flacon rigoureusement propre.

Pour enrichir votre lait démaquillant, ajoutez-y 6 gouttes d'huile essentielle de votre choix. Là aussi, vous pouvez créer votre propre mélange en vous inspirant des formules suivantes (2 gouttes de chaque) :

Pour les peaux normales

Huile d'amande douce et huile de noyau d'abricot

Huiles essentielles de lavande, de géranium et de rose

Pour les peaux grasses

Huile d'amande douce et huile de noisette

Huiles essentielles de cyprès, de géranium et de lavande

Pour les peaux sèches

Huile d'amande douce et huiles de noyau d'abricot ou/et de bourrache

Huiles essentielles de géranium et de néroli

Pour les peaux mixtes

Huile d'amande douce et huile de noisette

Huiles essentielles de bois de santal, de géranium et de lavande

Huiles antirides

Huile d'amande douce et huiles d'onagre ou/et d'avocat

Huiles essentielles de rose et de géranium

Les exfoliants naturels

Pour les paresseuses

Mélangez de la farine d'avoine avec juste assez d'eau pour obtenir une pâte épaisse. Appliquez sur le visage et massez en mouvements circulaires, en insistant sur les ailes du nez, le front, le menton. Évitez le contour des yeux, trop fragile. À faire une fois par semaine.

Pour les plus motivées

4 cuillerées à soupe de flocons d'avoine
4 cuillerées à café d'amandes en poudre
du vinaigre de cidre
2 gouttes d'huile essentielle de géranium ou de santal

Mettez les flocons, les amandes et le vinaigre dans le bol du mixer jusqu'à obtenir une « pulpe » fine. Ajoutez l'huile essentielle et mélangez. Lavez-vous au savon d'Alep, rincez-vous et appliquez le produit en massant doucement, en petits mouvements circulaires, en insistant sur les parties rugueuses (talons, genoux, coudes...). Rincez soigneusement.

Et comme déodorant...

La pierre d'Alun

Elle ressemble à un morceau de quartz. Il suffit de la mouiller et de la passer sur la peau pour en faire un déodorant. Achetez-la sur internet, ou faites-vous en ramener du Maroc, où elle est très bon marché.

Pour les plus motivées (*bis*) : changez tout !

Déodorant à l'alcool

10 cl d'alcool à 90°
10 cl d'eau
15 gouttes d'huile essentielle de citron ou de sauge

Mélangez les ingrédients dans un petit vaporisateur.

Attention ! l'huile essentielle de sauge est déconseillée si vous êtes enceinte et si vous allaitez. Préférez plutôt la version au citron.

Déodorant sans l'alcool

5 cl d'huile de noyau d'abricot
30 gouttes d'huile essentielle d'orange amère
10 gouttes d'huile essentielle de sauge
5 gouttes d'huile essentielle de mandarine ou de citron

Mélangez le tout et utilisez le produit obtenu comme déodorant. *À noter :* attendez quelques minutes avant de vous habiller !

Dentifrice

1/2 cuillerée à café de carbonate de calcium en poudre
1 pincée de bicarbonate de soude
3 gouttes d'alcool de menthe

Mélangez avec un peu d'eau pour obtenir une pâte homogène et brossez-vous directement les dents avec.

I. Mangez des légumes qui donnent bonne mine

Comme les carottes ou les tomates. Et buvez du thé vert, riche en antioxydants. La beauté, ça vient aussi de l'intérieur !

2. Laissez tomber les cosmétiques de synthèse

Un argument de plus pour vous convaincre de les oublier : ils sont très souvent testés sur les animaux. Et les tests sur les animaux, c'est pas écolo du tout !!!

3. Choisissez le VRAI savon de Marseille

Celui dont je parle n'est pas celui qu'on trouve au supermarché. Il se vend en magasins bio et doit obligatoirement porter gravée l'indication « 72 % d'huile ».

4. Faites vos produits et... des économies !

Lorsque c'est possible, achetez plutôt vos huiles (toujours bio et « première pression à froid ») au rayon « alimentation ». Elles sont bien moins chères que lorsqu'elles sont vendues au rayon « cosmétiques ».

5. Dénichez les huiles essentielles

Vous les trouverez facilement en magasins bio ou en parapharmacie.

6. Achetez vos huiles essentielles par Internet

Et pour les paresseuses qui n'ont pas une minute à elles (oui, cela existe)...

7. Vérifiez toujours la mention « bio » des huiles essentielles

Il existe des huiles essentielles synthétiques, fabriquées à partir de solvants industriels dérivés de produits pétroliers. Dois-je vraiment préciser qu'il vaut mieux que vous choisissiez des huiles essentielles naturelles, portant si possible la mention « bio » ?

8. Stockez toujours les huiles essentielles loin des « petites mains »

Comme pour tout produit pharmaceutique, vous conserverez vos huiles essentielles dans des flacons placés hors de portée des enfants.

9. Faites bon usage des huiles essentielles

Si vous êtes enceinte, évitez tant que faire se peut l'usage des huiles essentielles. À l'exception des huiles de camomille, jasmin, lavande, rose, et ylang-ylang, qui sont des huiles essentielles « douces ».

10. Évitez le mariage huiles essentielles et soleil

Certaines huiles essentielles sont photosensibilisantes, comme les huiles de bergamote, de millepertuis, de citron, de citron vert ou d'orange amère. Ce qui signifie concrètement que vous devez en proscrire l'usage si vous vous exposez au soleil.

11. Soignez-vous avec la bonne huile

Pour les coups de soleil, utilisez l'huile de calendula (obtenue à partir de fleurs de souci). Elle est parfaite pour traiter les brûlures, les coups de soleil, les engelures...

12. Faites passer des produits de la cuisine à la salle de bains

Le vinaigre de cidre fait partie de ces produits dignes de passer dans votre salle de bains. Vous l'utiliserez pour faire briller vos cheveux en en ajoutant à la dernière eau de rinçage lorsque vous faites un shampooing.

13. Découvrez les vertus du rhassoul

Si vous avez une peau très fragile et des dartres, le rhassoul est le meilleur savon qui soit. Et vous l'utiliserez exactement comme un savon, dilué dans un peu d'eau chaude !

14. Parfumez votre rhassoul

Ou votre masque à l'argile, avec un peu d'eau de rose ou de fleur d'oranger.

15. Chassez les poils !

Pour les pattes velues, rien ne vaut un épilateur électrique. La méthode orientale, qui utilise une sorte de caramel à base de citron, exige d'avoir un sacré coup de main – ce qui n'est peut-être pas votre cas. Alors autant en rester à votre bonne vieille pétrolette à enlever les poils, quitte à vous offrir une vraie épilation à l'orientale en institut quand le besoin s'en fait sentir.

chapitre 9

Petit glossaire de l'écologie
et adresses utiles

Comment tout savoir (ou presque) sur l'écologie ?

Atmosphère

Mot d'une célèbre réplique d'Arletty dans *Hôtel du nord*.

Désigne l'enveloppe gazeuse qui entoure la Terre, composée presque entièrement d'azote et d'oxygène. L'atmosphère contient aussi de la vapeur d'eau, et plusieurs gaz à l'état de traces. Parmi ceux-ci, le dioxyde de carbone et l'ozone, qui sont également des gaz à effet de serre.

Biocarburant

Les biocarburants, utilisés en France comme additifs dans les carburants classiques, sont un paradoxe à eux seuls. Parce qu'ils sont fabriqués à partir de produits agricoles (colza, betterave, pomme de terre, céréales, canne à sucre), on les considère comme écolos : après tout, on a bien ici affaire à une ressource renouvelable. D'autant qu'ils émettent moins de dioxyde de carbone, d'oxyde de carbone et d'oxydes d'azote que le carburant « normal ». Mais les choses ne sont pas si simples : pour les produire, on utilise des engrais et des pesticides. Et l'énergie dépensée pour leur fabrication reste supérieure à celle qu'ils produisent...

Biodégradabilité

Un produit est biodégradable s'il est susceptible d'être décomposé par des organismes vivants, joliment appelés décomposeurs. Toutes les matières organiques, c'est-à-dire composées du carbone, sont biodégradables. Tout est ensuite question de degré : si vos épluchures de patates ne mettront que quelques jours à se décomposer, un sac plastique aura en revanche besoin de quelques centaines d'années.

CFC (Chlorofluorocarbures)

Les CFC sont des gaz à effet de serre utilisés pour la réfrigération, la climatisation, l'emballage, l'isolation, les solvants et les propulseurs d'aérosols. Depuis 1987, leur usage est réglementé par le protocole de Montréal. Les CFC en effet atteignent l'atmosphère supérieure, où ils peuvent détruire l'ozone. Ces gaz ont donc été remplacés par d'autres composés, notamment par des hydrochlorofluorocarbures et des hydrofluorocarbures. Est-ce vraiment l'idéal ? Ces derniers restent en effet des gaz à effet de serre, même s'ils sont réglementés par le Protocole de Kyoto...

Chaîne alimentaire

Normalement, vous avez vu ça au collège en cours de biologie (qui ne s'appelait pas encore sciences de la vie et de la terre) : l'herbe est mangée par la vache, qui est elle-même mangée par l'homme (non végétarien, bien sûr). Lequel transforme à son tour ce qu'il a mangé en matériau susceptible de nourrir quelques organismes vivants (micro-organismes, bactéries et champignons), créant ainsi des conditions favorables à l'apparition de nouveaux végétaux. La boucle est bouclée ! Le problème, c'est que la chaîne alimentaire véhicule maintenant quelques substances peu sympathiques (pesticides, métaux lourds, etc.) et préjudiciables à la santé.

COV

Les composés organiques volatils sont du genre extrêmement vilain. Ces gaz polluants, d'origine naturelle ou non, contiennent toujours du carbone auquel s'ajoutent d'autres éléments : hydrogène, halogènes, oxygène, soufre... Les vapeurs d'essence, les solvants dans les peintures, le butane, le propane sont parmi les COV les plus courants. Certains sont toxiques, voire cancérigènes, comme le benzène et le formaldéhyde. Ils aident à la formation d'ozone dans la basse atmosphère et participent de ce fait aussi au réchauffement de la planète. Où les trouve-t-on ? Dans les carburants, les peintures, les encres, les colles, les détachants, les cosmétiques, les solvants... Ceci dit, ils existent aussi en milieu naturel et dans certaines aires cultivées.

Développement durable

Tarte à la crème et nouvelle formule magique du monde de l'entreprise, des institutions marketing et de la communication. Je vous la livre telle quelle : « un développement qui répond aux besoins du présent sans compromettre la capacité des générations futures à répondre aux leurs ». Contrairement à ce que l'on pourrait croire, la notion de développement durable intègre aussi la dimension économique, avec ses deux copines, l'efficacité et la rentabilité. Bon, même si c'est un peu énervant, le « développement durable » a au moins un mérite : celui de rendre les entreprises plus sensibles aux attentes des consommateurs. Lesquels commencent tout de même à s'intéresser à la qualité écologique de ce qu'ils achètent.

Dioxyde de carbone (CO_2)

Ce gaz à effet de serre provient de l'oxydation naturelle des végétaux morts et de la combustion de charbon, de dérivés du pétrole et de gaz naturel. Il est absorbé par les plantes qui en extraient le carbone dont elles ont besoin, par le biais de la photosynthèse.

Dose journalière admissible (DJA)

La DJA correspond à la quantité de substance chimique (additifs alimentaires, traces de pesticides...) que peut absorber quotidiennement un homme ou un animal, sans qu'il y ait de conséquences notables pour sa santé. Faut-il vraiment faire confiance à cette conception des choses ? Justifier le fait d'ingérer une substance nocive sous prétexte qu'elle est présente en dose « acceptable » est en soi un peu étrange. D'autant que les expériences faites sur les produits incriminés (pesticides, par exemple) pour prouver qu'ils ne sont nocifs qu'à partir d'une certaine quantité sont effectués... sur des animaux.

Empreinte écologique

Cette notion est essentielle pour comprendre le discours écolo. L'empreinte écologique vise à mesurer très concrètement la pression que nous exerçons sur la nature. La surface écologique productive comprend les forêts, les terres cultivées, les pâturages, l'eau potable et les ressources des océans. Quelle surface productive nous faut-il pour fournir l'énergie et les matières premières dont nous avons besoin dans chacun des gestes de la vie quotidienne ? Quelle surface nous faut-il ensuite pour éliminer tous les déchets produits ? La réponse à ces deux questions nous donne notre empreinte écologique. À savoir : la surface productive disponible par personne est de deux hectares. Or, l'empreinte écologique mondiale moyenne actuelle est de 2,9 hectares par personne... Une seule planète ne satisfera donc pas nos besoins.

Énergie grise

On appelle ainsi l'énergie nécessaire à la fabrication, l'emballage, la distribution et l'élimination d'un produit.

Énergies renouvelables

Contrairement aux énergies fossiles (gaz, pétrole, charbon), limitées et qui dégagent des gaz à effet de serre lors de la combustion, les énergies renouvelables sont inépuisables et « propres ». Elles sont produites par différents processus naturels, comme le rayonnement solaire, le vent, les mouvements de l'eau.

Étiquette énergie

Obligatoire en France depuis 1995, elle permet de connaître la consommation énergétique de tous les appareils électroménagers, en les classant du vert (très bien) au rouge (ouh ! pas bien du tout). Pour vous guider, sept catégories allant de A (très bien) à G (ouh ! pas bien du tout).

Eutrophisation

Phénomène absolument indissociable de la couleur verte. La pollution de l'eau par des nitrates et des phosphates, qui sont des substances nutritives pour les plantes, entraîne une prolifération excessive des végétaux aquatiques. Ceux-ci absorbent l'oxygène contenu dans l'eau, qui se dégrade inexorablement et prend la couleur verte évoquée ci-dessus.

Faire le plus de choses à manger soi-même...

... plutôt que de les acheter toutes faites au supermarché. Franchement, des crêpes, une quiche ou une pizza maison, ça a un autre goût, non ?

Gaz à effet de serre

Petite révision en vue de l'interro de physique-chimie de demain : la vapeur d'eau, le dioxyde carbone (CO_2), le méthane (CH_4), les oxydes d'azote ($NxOy$), l'ozone (O_3) et les halocarbones répartis entre les CFC (constitués de chlore, fluor et carbone), les HFC (constitués d'hydrogène, fluor et carbone) et les HCFC (constitués d'hydrogène, chlore, fluor et carbone) sont des gaz à effet de serre.

Gaz de pétrole liquéfié (GPL)

Carburant issu du raffinage du pétrole brut. Sa combustion produit moitié moins d'oxyde d'azote et de monoxyde de carbone que celle du gazole, et dix fois moins de particules.

Géothermie

La croûte terrestre et les couches superficielles de la terre contiennent de la chaleur. On peut utiliser celle-ci voire la transformer en énergie électrique lorsque la température géothermique est assez élevée pour permettre la production de vapeur.

Halocarbones (CFC, HFC, HCFC)

Gros responsables de l'amincissement de la couche d'ozone. D'origine non naturelle, on les trouve notamment dans les réfrigérateurs et les propulseurs d'aérosol. Ils ont donc une grande durée de vie et s'accumulent de ce fait dans l'atmosphère. Les CFC et HCFC sont interdits d'utilisation depuis le protocole de Montréal (1987).

Incinération

C'est là que finissent les déchets non recyclables, brûlés dans des fours spécifiques. L'incinération a deux principaux avantages : elle permet de réduire le volume global des déchets et de récupérer l'énergie contenue dans la matière, si l'installation fonctionne avec une machine thermique. Pourtant, l'incinération a ses limites : elle ne fait pas disparaître la matière, elle la transforme seulement en éléments divers à la valeur écologique discutable : cendres, mâchefers et résidus d'épuration des fumées contenant des métaux lourds, gaz et aérosols (acide chlorhydrique, dioxines et furanes), métaux lourds comme le plomb, le mercure, le cadmium.

Indice ATMO

C'est ce qui indique la qualité de l'air en ville et dans les agglomérations urbaines. Il mesure la pollution en se fondant sur les concentrations de quatre polluants atmosphériques : dioxyde d'azote, particules, ozone, dioxyde de soufre. On le calcule chaque jour dans toutes les agglomérations de plus de 100 000 habitants.

Pourrait mieux faire : il n'est pas calculé dans les zones rurales, ni au voisinage immédiat des installations industrielles ou des grands axes routiers.

Jeter

Ce qu'il faut où il faut. Et jeter moins. Ce qui veut dire en clair : consommer moins.

Kyoto (conférence de)

Ville du Japon où eut lieu en 1997 une conférence portant sur les changements climatiques. 159 pays étaient représentés et se mirent d'accord : d'ici à 2012, les pays industrialisés devront réduire en moyenne de 5,2 % leurs émissions de gaz à effet de serre. Les pays en voie de développement ont été exempts de tout engagement, puisqu'on attend d'eux... qu'ils s'industrialisent. Petites contradictions du monde capitaliste... qui n'en est pas à une près...

Laver sans polluer

Savon de Marseille, savon noir, cristaux de soude, vinaigre blanc, et bicarbonate de soude : vos nouvelles armes pour récurer écolo.

Mooncup

Mais quelle est donc cette chose bizarre au nom si poétique ? La *mooncup* en réalité n'a rien de très glamour : il s'agit d'une coupelle destinée à remplacer les tampons, qui recueille le flux menstruel au moment des règles (d'où son nom). En silicone ou en latex, de taille assez imposante, elle se place dans le vagin et se vide lorsque nécessaire. C'est écolo, parce que ça évite l'usage de tampons, blanchis au chlore, puis jetés sans être recyclables. C'est écolo parce qu'une *mooncup*, à peu de choses près, ça dure une vie de femme non ménopausée. Bref, c'est bien, mais franchement ça exige tout de même une sacrée motivation !

Non

Non à toutes les choses qui sont bannies dans ce livre : sacs en plastiques, aluminium, eau de javel, lessives et produits d'entretien non bio, et patali et patalo.

Oxydes d'azote (NxOy)

Ils sont liés pour l'essentiel à l'agriculture, aux combustions et aux activités industrielles (production d'acides, engrais...). Leur concentration dans l'air croît régulièrement.

Ozone (O$_3$)

Il faut distinguer l'ozone stratosphérique (le bon ozone, qui protège du rayonnement solaire ultraviolet, mortel pour tous les êtres vivants) de l'ozone troposphérique. Ce dernier, produit par les activités industrielles, est source de pollution et contribue à l'effet de serre non naturel.

Particules

Fines matières liquides ou solides en suspension dans l'air. Elles peuvent être d'origine naturelle (feux de forêt, poussières volcaniques...) ou humaine. Les particules provoquent des inflammations des voies respiratoires et sont suspectées d'être cancérigènes à long terme.

Les grosses particules (2,5 à 10 µm [micromètres] de diamètre) sont dues aux chantiers ou aux exploitations minières. Les particules fines (moins de 2,5 µm) sont dues aux voitures et camions, aux installations de chauffage et à divers procédés industriels.

Qualité (Haute Qualité Environnementale)

Si vous voulez faire construire, assurez-vous que l'entreprise que vous avez choisie adhère à la démarche HQE. Celle-ci vise à limiter les impacts de la construction sur l'environnement. De ce fait, les questions de la consommation de ressources naturelles, de la gestion des déchets, des nuisances sonores, des matériaux utilisés sont prises en compte...

Raisonnée (agriculture)

L'agriculture raisonnée, c'est un peu la tentative de concilier l'inconciliable : elle vise en effet à réduire les effets négatifs de l'agriculture sur l'environnement... tout en conservant la rentabilité économique des exploitations agricoles. Autant dire l'union de la carpe et du lapin. Concrètement, il s'agit de n'interdire aucune substance. En revanche, l'agriculteur devra justifier et évaluer en amont les besoins en produits phytosanitaires avant d'en faire usage dans les proportions qu'exige la situation. Bref, préférez le bio !

Stratosphère

C'est la couche de l'atmosphère comprise entre 10 et 50 km au-dessus de la surface de la Terre.

Tourbière

Milieu marécageux riche en matières organiques végétales décomposées, entourant souvent un plan d'eau et ayant une flore caractéristique. Le problème, c'est que les tourbières, qui abritent une grande biodiversité, disparaissent peu à peu, du fait qu'elles sont surexploitées par l'homme. Conclusion : pour vos plantes, n'achetez pas de tourbe. Vous éviterez ainsi de participer à la disparition de cet écosystème.

Ultime (déchet)

Synonyme de déchet irrécupérable, dont on ne sait que faire. Un déchet ultime n'est plus susceptible d'être traité : on en a déjà extrait la part récupérable ainsi que les divers éléments polluants. Depuis juillet 2002, normalement, seul le déchet ultime peut être mis en décharge.

Végétarien

Par définition, le végétarien a quelque part en lui une petite musique écolo qui résonne. Inversement, l'écolo n'est pas nécessairement végétarien et peut tout à fait apprécier de manger des « cadavres d'animaux » (c'est une expression typique de végétarien hardcore, celui qui va la nuit venue répandre des litres de peintures rouges sur les vitrines des magasins de fourrure pour faire comprendre que c'est très mal de vendre des peaux de pauvres bêtes mortes). Alors, végétarien, pas végétarien ? C'est affaire de conviction, et de sensibilité à la cause animale. En terme d'empreinte écologique, pourtant, le végétarien a mention « Très bien » : un hectare de terre cultivée pendant un an peut donner en moyenne sept fois plus de calories sous forme de nourriture végétale que sous forme de viande.

W.-C.

Les w.-c. sont des gros consommateurs d'eau. Alors, vite, installez une chasse double débit. Et si vous avez une chasse d'eau classique, placez une bouteille en plastique remplie d'eau dans le réservoir. Et utilisez bien sûr du papier toilette recyclé !

Xénophile

À l'étranger, on trouve souvent de bonnes idées, et de bons produits : le rhassoul, la pierre d'Alun, des huiles introuvables chez nous comme l'huile d'argan... Quand vous voyagez, renseignez-vous sur les façons de faire locales en matière de recettes beauté.

Yaourt

Le yaourt du commerce présente l'immense inconvénient d'être voyageur : entre le verre, le couvercle en alu, l'étiquette et l'emballage, les différents ingrédients nécessaires à sa fabrication, on a calculé qu'un pot de yaourt lambda parcourt plus de 9 000 km... À ce compte, autant les faire vous-même ! Il suffit de 1 yaourt du commerce, de 1 l de lait (vache ou soja) et d'une yaourtière pour vous lancer dans l'aventure. Si vous n'avez pas de yaourtière, voilà une autre recette pour les faire à la cocotte : mettez 4 cm d'eau dans la cocotte et faites monter en pression. Mélangez bien le yaourt et le lait et versez le mélange dans les pots que vous fermez avec leur couvercle ou un film plastique. Quand la soupape tourne, arrêtez, ouvrez la cocotte, videz l'eau. Mettez-y les yaourts en la refermant bien mais sans la mettre sur le feu. Laissez-les « prendre » pendant 5 h, puis mettez-les au frigo.

Zone humide

Non, ce n'est pas le titre de la dernière production Marc Dorcel, mais le terme scientifico-écologique désignant un terrain inondé ou gorgé d'eau. Les marais, les étangs, les tourbières, les lagunes, les marais salants sont des zones humides. Un vrai défenseur de la nature les protège et les bichonne : elles abritent une faune très variée, notamment des oiseaux, et jouent un rôle essentiel dans le cycle de l'eau. Les zones humides épurent l'eau douce et la stockent, ce qui permet d'éviter dans une certaine mesure les inondations.

Adresses utiles

Désengorgez votre boîte aux lettres

Liste « Robinson »

Union française du marketing direct

Liste « Stop publicité »

60, rue de la Boétie

75008 Paris

M. le président de la Commission nationale Informatique et Libertés

21, rue Saint-Guillaume

75007 Paris

Recyclez les DEEE (déchets d'équipements électriques et électroniques)

SCRELEC

(Société de collecte et de recyclage des équipements électriques et électroniques)

11-17, rue Hamelin

75016 Paris

Tél : 01 56 28 92 51

http ://www.screlec.fr

Collecte des DEEE

Envie 16

35, rue Jules Durandeau

16000 Angoulême

Tél : 05 45 95 15 03

ÉcoMicro

18, rue de Queyries

33100 Bordeaux

Tél : 05 56 86 66 66

http ://www.ecomicro.fr/

Acoor Environnement

ZI Auguste II

Chemin du Grand-Pas

33610 Cestas

Tél : 05 56 07 77 40

http ://www.acoor-environnement.com/

Écosynthèse

Parc industriel du Maréchat

6, rue Michel-Servet

BP 204

63200 Riom

Tél : 04 73 64 08 79

Ateliers du bocage

15, rue de la Chapelle

BP 10462

79144 Cerizay Cedex

Tél : 05 49 81 09 72

http ://www.ateliers-du-bocage.com/

EIFA

Chemin de la Roche

79220 Saint-Christophe-sur-Roc

Tél : 05 49 17 36 51

Valdelec

ZI de Peuron

86300 Chauvigny

Tél : 05 49 37 11 85

http ://www.valdelec.fr/

Triade électronique

34, rue Gaétan-Lamy

93300 Aubervilliers

Tél : 01 48 34 33 98

http ://www.triade-electronique.fr/

L'auto-partage : pour conduire sans avoir de voiture (1)

À Paris

Caisse-Commune

56, bd Beaumarchais (rue Clotilde-de-Vaux)

75 011 Paris

Tél : 01 43 55 15 95

info@caisse-commune.com

À Strasbourg

Coopérative « Auto'trement »

24, rue du Vieux-Marché-aux-Vins

67000 Strasbourg

Tél : 03 88 23 73 47

Fax : 03 88 23 73 48

http ://www.autotrement.com/

À Marseille

Coopérative « Auto-partage-Provence »

5-7, La Canebière

13001 Marseille

Tél : 04 91 91 18 72

www.autopartage-provence.com

À Lyon

Association « La Voiture autrement »

MRE – 32, rue Sainte-Hélène

69002 Lyon

Tél : 0810 107 665

http ://lavoitureautrement.free.fr/

À Grenoble

Association « Alpes-Auto-partage »

Maison du tourisme

14, rue de la République

38000 Grenoble

Tél : 04 76 24 57 25

http ://alpesautopartage.eileo.org/

L'auto-partage : pour conduire sans avoir de voiture (2)

Les classiques, pour voyager :

www.allostop.net

www.allostoprennes.com

Pour voyager ET covoiturer vers votre lieu de travail :

www.easycovoiturage.com (site très bien fait)

www.123envoiture.com

www.compartir.org (site très bien fait)

www.comove.com

www.covoiturage-france.fr (organise le covoiturage pour les collectivités et les entreprises)

www.carstops.org

www.co-voiturage.fr

www.covoiturage.net

Où acheter les fruits et légumes bio ?

Réseau Cocagne

2, Grande-Rue

25220 Chalezeule

Tél : 03 81 21 21 10

Fax : 03 81 47 42 58

rc@reseaucocagne.asso.fr

www.reseaucocagne.asso.fr

Les Paniers du Val de Loire

7, rue de la Vacquerie

41000 Blois

Tél : 02 47 30 10 50

Pour créer votre AMAP ou pour vous renseigner

Alliance Provence

Paysans Écologistes Consommateurs

17, rue Daniel-Melchior

83000 Toulon

Tél : 04 94 98 80 00

Fax : 04 94 98 80 05

allianceprovence@wanadoo.fr

Pour savoir où l'on cultive bio

http://annuaire.agencebio.org/

Table des matières

Dans la même collection :

Photocomposition Nord Compo

**Imprimé en Italie
par « La Tipografica Varese S.p.A. » Varese
ISBN : 2501047540
Dépôt légal : 69937 – Avril 2006
40.9697.0/01**